Belgium Family Style

introduction

ブリュッセル南駅には、パリ北駅からおよそ1時間半。
「のみの市だったら、ブリュッセルがおすすめ」
パリのアーティストたちから、ベルギーの魅力を聞いて
私たちは早速、新しいアーティストとの出会いを楽しみに
はじめての国、ベルギーへと向かいました。
フランス語、オランダ語、ドイツ語が使われる地域に分かれ
それぞれの文化がまじりあう、ユニークな国。
ヨーロッパの歴史を感じる、石造りの広場と美しい街並に
ワッフルやチョコレートといった、おいしい食べ物。
そしてタンタンやスマーフなど、バンド・デシネと呼ばれる
マンガから生まれた、世界中で愛されるキャラクターたち。

ベルギーのアーティストは、どんな暮らしをしているのかしら？
わくわくと弾む心で、ブリュッセル、アントワープ、ナミュール
3都市をめぐり、アーティスト・ファミリーの家をたずねました。
インテリアには、パパやママが手づくりした
子どもたちへの愛情が感じられるオブジェがたくさん。
そんな楽しいおうちの中で、みんなで遊んだり、おしゃべりしたり、
子どもたちのはしゃぐ声に、うれしそうなパパとママの笑顔。
家族で一緒に過ごすしあわせな時間が、キラキラとまぶしく輝きます。

ジュウ・ドゥ・ポゥム

Justine Glanfield et Vincent Fournier

contents

Eva Verbruggen et Ief Gilis
エヴァ・ヴェルブリュッヘン＆イエフ・ジリス
créatrice de Zeza & Flor et comédien · · · · · · · · · · · · · · · 6

Eugénie Collet et Olivier Rouxhet
ウジェニー・コレ＆オリヴィエ・ルクセ
chef décoratrice cinéma et graphiste · · · · · · · · · · · · · · · 14

Catherine Tilmant et Nicolas Lavianne
カトリーヌ・ティルマン＆ニコラ・ラヴィアンヌ
illustratrice, peintre et graphiste, musicien · · · · · · · · · · · · 22

Thisou Dartois et Denis Larue
ティズー・ダルトワ＆ドゥニ・ラルー
illustratrice et dessinateur de bandes dessinées · · · · · · · · · · 30

Françoiz Breut et Emmanuel De Meleumester
フランソワーズ・ブルー＆エマニュエル・ドゥ・ムルムステール
illustratrice et artiste, peintre · · · · · · · · · · · · · · · · · · 38

Pascale Havaux et Tim Siaens
パスカル・ハヴォー＆ティム・シアン
créatrice de We Were Small et graphiste · · · · · · · · · · · · · · 44

Adinda De Raedt et Arne Smits
アディンダ・ドゥ・ラエド＆アルネ・スミッツ
créatrice de Froy & Dind et ebéniste · · · · · · · · · · · · · · · 52

Marie-Aude Baronian et Bruno Taverne
マリー＝オード・バロニアン＆ブルーノ・タヴェルヌ
professeur en arts visuels et journaliste sportif · · · · · · · · · · 58

Amélie de Kerchove et Wolfgang Zichy
アメリ・ドゥ・ケルショヴ＆ウォルフガング・ズィシ
architectes · 64

Catherine Arnould et Olivier Pestiaux
カトリーヌ・アルノー＆オリヴィエ・ペスティオー
architecte d'intérieur et infographiste · 70

Monique Vugs
モニーク・ヴグ
styliste mode · 76

Leenda Mamosa et Anthony Berthaud
リンダ・マモザ＆アントニー・ベルトー
scripte et photographe, graphiste · 82

Valérie Denis et Fabrice Dermience
ヴァレリー・ドゥニ＆ファブリス・デルミエンス
styliste et photographe · 86

Caroline et Nicolas Vanden Eeckhoudt
キャロリンヌ＆ニコラ・ヴァンデン・エクット
chercheuse à l'Université et Architecte · 92

Justine Glanfield et Vincent Fournier
ジュスティヌ・グランフィールド＆ヴァンサン・フルニエ
styliste de Cotton and Milk et photographe · · · · · · · · · · · · · · · · · 96

Elise Beernaert
エリズ・ブルナエ
conseil en décoration · 104

Morgane Teheux et Alexis Vanhove
モルガンヌ・トゥオー＆アレキシー・ヴァンオヴ
créatrice boutique little circus et antiquaire · · · · · · · · · · · · · · · · 110

Bruxelles et Antwerpen Guide
ブリュッセル＆アントワープ・ガイド · · · · · · · · · · · · · 118

Eva Verbruggen et Ief Gilis

エヴァ・ヴェルブリュッヘン＆イエフ・ジリス
créatrice de Zeza & Flor et comédien

Flor et Whoopi
フロール＆ウーピー
1 garçon et 1 fille / 11 ans et 9 ans

とことこ竹馬で歩く、ウーピーちゃん。
くるくるとコマを糸であやつるディアボロの
ジャグリングに夢中のフロールくん。
石畳の中庭は、家族のプレイ・グラウンド。
サーカスで、スペクタクルを企画し
アクターとしても活躍するパパが
子どもたちに、ゆかいにレクチャー。
ふたりとも、すっかり上手になって
「ママ、パパ、見て！」と楽しそう。

やわらかな光と色に包まれた、ファミリー・ハウス

雑貨クリエーターのエヴァさんと、サーカスで活躍するイエフさんが暮らすベルヘム地区は、アントワープの中心地から自転車で10分ほど。表通りから中庭までつながる玄関ホールには、通学やおでかけに欠かせない家族4台の自転車が停められています。4階建てで広々とした、この家はもともと厩舎だった建物。白をベースにしたインテリアには、ベビーピンクやスカイブルーなど50年代風の色がちりばめられています。パステルカラーがフランドル地方の光とともに、やわらかな空気をかもしだしています。

上：パパにぶらんこを押してもらって楽しそうなウーピーちゃん。フロールくんは、パパのサーカスでディアボロを披露するほどの腕前です。左下：ママのおじいちゃんが譲ってくれたラジオは、いまでもキッチンで活躍しています。右下：友だちからプレゼントされた絵皿を壁にデコレーション。

左中：ディスプレイされた、ちょうちょの標本。カラフルな紙のちょうちょは、半分だけペイントして折り畳んで作ったもの。右上：以前ママが働いていた学校で使われていた収納をペイントして、子どもたちのお店屋さんごっこの舞台に。左下：オランダのキャラクター「イップとヤネッケ」のエッグスタンドと、おじいちゃんが使っていたコーヒーカップ。右下：ママのハンドメイドのニット・メダル。

2階にある、子どもたちのプレイルーム。ヴィンテージの木製の棚やデスクを、それぞれおもちゃコーナーに。壁のイラストはアーティストのZAZAのもの。

左上：フックにかけたミニバスケットは、ちょっとした小物入れに。左中：料理道具専門店で手に入れたハムのスライス機で、牛肉をスライスして作るカルパッチョは、パパの得意料理。右上：オーダーメイドのキッチン収納は、パパとママのデザイン。ママの好きな色、スカイブルーがさわやか。左下：ヴィンテージ缶のコレクション。右下：ママが手がけた縁飾り付きのハンカチ。

上&左下:最上階にあるお客さま用ベッドルーム。子どもたちの絵をコラージュした壁で、家族全員のウェルカムの心を表しました。右中:サーカスがツアーをするときに、各会場でもらうバックステージパスのストラップ。家に戻ると、パパはフロールくんにプレゼント。おじいちゃんから譲り受けたベッドのフレームいっぱいになりました。右下:フロールくん手づくりのモンスターぬいぐるみ。

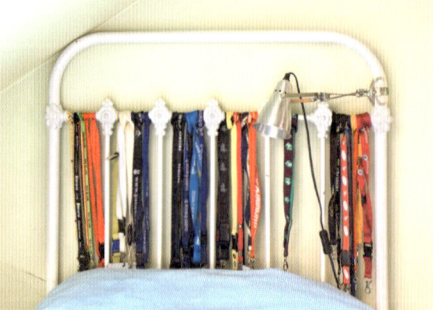

左上：お絵描きしたり、文章を書いたりするのが好きなウービーちゃん。左中：ブランケットとねこのクッションは、ママのハンドメイド。右上：ママが子どものころ使っていた白いドレッサーが、いまではウービーちゃんの部屋に。左下：お泊まりにいくときに、こっそりバッグに忍ばせる手づくりクッションや人形たち。右下：お気に入りの花柄帽子。デニムのバッグは、刺しゅうで女の子らしく。

Eugénie Collet et Olivier Rouxhet

ウジェニー・コレ&オリヴィエ・ルクセ
chef décoratrice cinéma et graphiste

Jeanne et Georges
ジャンヌ&ジョルジュ
1 fille et 1 garçon / 14 ans et 11 ans

さんさんと太陽の光が差しこむダイニングで
ジャンヌちゃんとジョルジュくん
そしてパパの3人が、ギターを抱えます。
クラシックに、ロック、シャンソンまで
演奏するのは、幅広いジャンルの曲。
大きくなった子どもたちと、ギターをとおして
コミュニケーションできるのは
パパやママにとっても、うれしいこと。
みんなで楽しむことが、なにより大事です。

思い出いっぱい、家族のヒストリーが大切な宝物

ブリュッセル南駅の南側にあるサン・ジルは、古くは職人さんたちの町として知られてきた地区。ウジェニーさんとオリヴィエさんたちが暮らす家は、ひいおじいさんが1885年に立ち上げたペンキ工場だった建物です。この家で音楽の時間と同じくらい、大切にされている楽しみが家族の日記。ヴァカンスでの旅日記をはじめ、ジャンヌちゃんが生まれてから毎月1枚ずつ撮影してきたスピード写真の手帳、そしてイラストやコラージュでつづる日記……。何冊ものノートにつづられた、家族のヒストリーは大切な宝物です。

上：キッチンは、もともとペンキの調合をするための場所。当時のものをそのまま使っている棚の上には、「遅れないよう注文は前日に送るように」というメッセージが残っています。左下：パンの入ったバスケットは、イスタンブールから持ち帰ったもの。右下：ガラス戸の中には、たくさんのキッチンクロス。

左上：ベトナムみやげの鳥かごは、2羽のインコの住まい。左中：毎月1枚ずつ撮影しているスピード写真。ジョルジュくんが生まれて4人になった記念すべきページ！右上：おばあちゃんから譲り受けたピアノを置いたリビング。左下：音楽や写真など共通の楽しみで、家族のきずなも深まります。右下：家族や友だちが集まると、白木のブロック「カプラ」にペイント。それを組み合わせて、大きな作品を作る予定。

2階はパパとママのベッドルーム。高い天井をいかして作ったロフトは、映画のデコレーションの仕事をしているママと、グラフィックデザイナーのパパのアトリエ。

左上：1階から2階へと続く階段には、1段ずつ数字をペイント。左中：カラフルなテキスタイルは、デコレーションの仕事のためのストック。右上：ベッドルーム横のバスルーム。家族から譲り受けた古いバスタブを修復して、いまも大事に使っています。左下＆右下：ヴァカンスの家族旅行の思い出が詰まったアルバム。パパがイラストを、ママがコラージュを担当しています。

上：1階でいちばん広い部屋を、カーテンでしきって、ふたりの子ども部屋に。ジョルジュくんの部屋の大きなポスターは、映画のデコレーションのために、ママが彼の写真を素材に作ったもの。左中：家型の貯金箱と、アメリカみやげのロボット。左下：ジョルジュくんのロボット・コレクション。右下：ジャンヌちゃんが8歳のころモデルをつとめ、パパがデザインしたアートセンター、ボザールのポスター。

左上:ジャンヌちゃんの時間割は、教科ごとに楽しくペイント。右上:エキゾチックなタペストリーは、ママがインド北部を旅したときのおみやげ。左中:ジャンヌちゃんとママで手づくりした女の子人形と、生まれたときから持っているクマのぬいぐるみ。左下:洋服はアンティーク屋さんで見つけたガラスケースに。右下:ジョルジュくんの部屋の奥にある、ジャンヌちゃんの部屋。

Catherine Tilmant et Nicolas Lavianne

カトリーヌ・ティルマン&ニコラ・ラヴィアンヌ
illustratrice, peintre et graphiste, musicien

Lou ルー
1 fille / 2 ans

イラストレーターで画家としても活躍するママが
おうちにあるアトリエで、作品を描く様子をみて
ルーちゃんは「私もやってみたい!」と
その小さな手に、筆をにぎるように……。
太く、細く、ラインをひっぱったり、
ことりさんの足跡のように、点を散らしたり。
ダイニングテーブルに、1枚の紙を広げて
家族の3本の筆で、カラフルにペイント。
楽しい時間がそのまま絵にもあらわれるようです。

あたたかみのある古い オブジェたちのドールハウス

ワロン地方のナミュールは、ムーズ川とサンブル川がまじわる場所にある美しい町。その中心部にある石畳の広場に面した家が、イラストレーターのカトリーヌさんと、グラフィックデザイナーのニコラさんの住まい。1936年にアールデコの建築家によって建てられた家で、引っ越してきてから少しずつ、ふたりで力をあわせてリフォームしました。ベルギーはのみの市好きにとって宝の山のような場所というふたり。あちこちののみの市で探し集めてきた、ヴィンテージの家具や雑貨がインテリアに取り入れられています。

左上：チャリティーショップ「オックスファム」で見つけた、50年から60年代のおままごと用家具。右上：普段はママと一緒にいることが多いルーちゃん。パパがおやすみのときは公園のシーソーに一緒に乗るのがお気に入り。右下：色にひとめぼれした、ヴィンテージのデスク。

左上：8歳のころからママがコレクションしている赤ちゃん用プレート。**右上**：花をいけた牛乳瓶、50年代のはかりは、のみの市での掘り出し物。**左中**：ヴィンテージのソフトビニール人形を集めているママ。このプリンセスは、ルーちゃんのいちばんのお気に入り。**左下**：オランダのショップ「ヘマ」で見つけた花瓶とランプ。**右下**：パパがデザインしたキャラクターのつぶらな瞳が、ルーちゃんを見守っています。

左上：人形用のドレスに、ママの友だちがプレゼントしてくれた鳥のブローチをつけて。右上：飾り棚の上には、ヴィンテージのおもちゃがいろいろ。左下：のみの市で見つけたチェストの上に、赤ちゃんのころからの靴をディスプレイ。右中：ナミュールのショップで見つけたアンティークドールのレプリカ。右下：ベルギーの作家、ルネ・フクスの物語『ボンノメとティラバン』のティラバン。

ヴィンテージの布で作ったガーランド、ベッドカバーや風車など、水色がさわやかなルーちゃんの部屋。ベッドは、パパのおじいちゃんが使っていたという古いもの。

左上：キャサリン・マンスフィールドの本『プレリュード』はお気に入りの本。右上：ヴァカンスで田舎に出かけたときに見つけたバスケット。左下：チェストやイス、マリオネットの脚まで、時を経た味わいのあるオブジェが並ぶベッドルーム。右中：カトリーヌ・ドヌーヴにインスパイアされて描いた絵画。右下：キュートな家型クッションはデンマークの「ラッキー・ボーイ・サンデー」のもの。

左上：ベッドルームと子ども部屋のある2階から、ママのアトリエがある3階へと続く階段の踊り場。右上：ドアそれぞれに、デザインの違うドアノブを。右中：パリのクリエーター、オリヴェルスのオンラインショップでオーダーしたイス。左下：古本屋さんで見つけたロビンフッド。コレクションの人形はすでに150体以上！右下：ママのアトリエは、れんがの壁に囲まれたスペース。

Thisou Dartois et Denis Larue

ティズー・ダルトワ&ドゥニ・ラルー
illustratrice et dessinateur de bandes dessinées

Noémie et Jeanette
ノエミ&ジャネット
2 filles / 6 ans et 3 ans

プリンセスやバラ、おとぎ話に夢中のノエミちゃんと
男の子になりたいという、おてんばジャネットちゃん。
それぞれ個性的な姉妹だけれど、とってもなかよし。
ふたりの好きな遊びは、ママと一緒に工作すること。
カトラリートレイで、ディスプレイ棚を作ったり、
ハンガーをベースに、モビールを作ったり。
カラフルな紙で作ったガーランドなど、自慢の作品は
学校のお友だちにも見せるというノエミちゃん。
自分で作ったものは、なによりもキラキラ輝きます。

左上：キッチンに飾ったモビールは、ノエミちゃんが生まれるときにはじめてママが作ったもの。左中：70年代のおままごとセットは、アンティークのおもちゃ屋さんで。右上：ダイニングテーブルで、ねんど遊び。左下：「イケア」のランプやヴィンテージのポットなど、シンプルな普段使いのものも、赤い水玉クロスの上でキュートな印象に。右下：ノエミちゃんが作ったのは、たまごの入った鳥の巣。

女の子たちのハンドメイドで、楽しくデコレーション

ママのティズーさんはイラストレーター、パパのドゥニさんは「バンド・デシネ」と呼ばれるマンガの作家。ブリュッセルのコミューンの中でも大きな町ウックルに、娘ふたりと一緒に暮らしています。ここは家族向けに同じようなスタイルで作られた家が集まる地区で、その1軒をパパが自らリフォーム。大きな窓に面したダイニングからは、境界線が見えないほど広々とした庭が見えます。ご近所の人たちと共有する、この庭にはぶらんこや砂場などもあって、まるで公園のよう！元気な子どもたちのお気に入りの遊び場です。

左上：子ども向けのイラスト作品を多く手がけるママ。最近はハンドメイドのテキスタイル雑貨づくりもスタート。右上：イースターや夏のヴァカンスには、モロッコにある小さな家に遊びにいくのが家族の楽しみ。右下：宗教画をモチーフにしたクッションを作ろうと、刺しゅうをほどこしているところ。

左上：布やレース、紙などで手づくりしたガーランド。左中：みかんのバスケットを壁に取り付けて、子どもたちのお気に入りを飾るコーナーに。右上：子どもたち用のテーブルで、ねこのモーリセットと一緒に。左下：パパがイラストを手がけたバンド・デシネ『ラ・メゾン・デテール』は、モロッコを舞台にした物語。右下：フィギュア・コレクターのパパが大切にしている、60年代のタンタン人形。

ママの友だちがプレゼントしてくれた、ヴィンテージのお店屋さんごっこコーナー。女の子たちのお気に入りの遊び場所です。

上：ダイニングから、家の裏手に広がる庭を眺めたところ。その奥には、パパのアトリエ小屋もあります。**左中**：木製のおもちゃのブランド「ビントーイ」のてんびんは、サンタさんからのプレゼント。**左下**：カラフルな引き出しがかわいいヴィンテージのミニチェストは、お店屋さんごっこに。**右下**：結婚のお祝いにもらったイームズの「ハング・イット・オール」に子どもたちのパーカをかけて。

左上：ノエミちゃんとジャネットちゃんの部屋。お花のランプの下のベッドは、ジャネットちゃんのもの。右上：モロッコのマルシェで手に入れたバスケット。右中：ボローニャ国際絵本原画展に参加したときに、おみやげに買ってきたオルゴール。左下：紙を切り貼りしながら立体的に作った、ぞうの小屋。右下：ノエミちゃんが大好きな「シルバニア・ファミリー」のドールハウス。

左上：ノエミちゃんのベッドのそばには、ママの手づくりガーランドと、自分でシェードにペイントできる「イケア」のランプを飾って。右上：さまざまな素材を自由な発想でミックスしたガーランドは、子どもたちもお気に入り。右中：ママも大好きなモンチッチ人形。下：ベルギーで親しまれている「キューロックス」のシステム収納は、扉の色を自由に組み合わせて楽しむことができます。

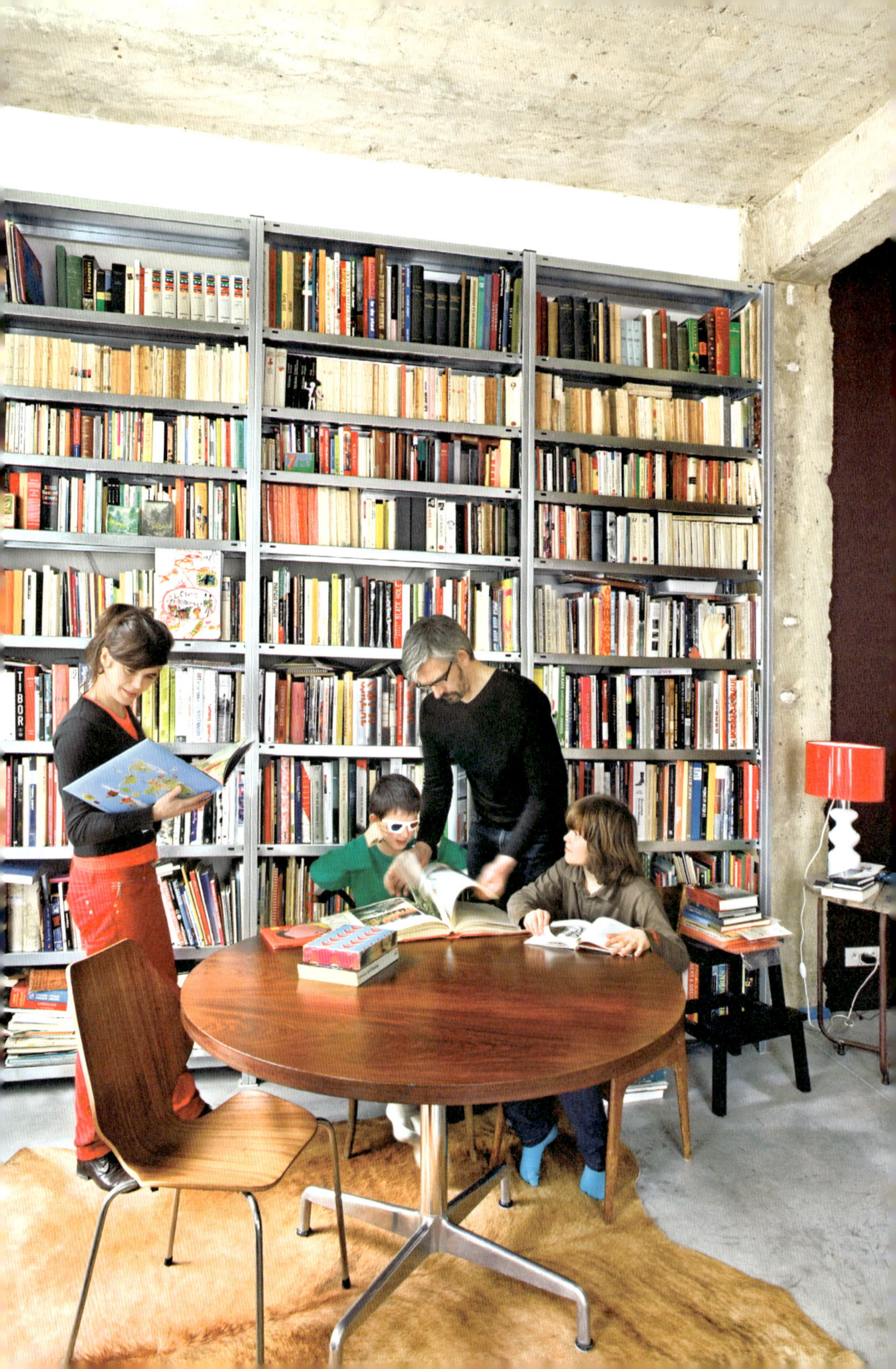
TIBOR

Françoiz Breut et Emmanuel De Meleumester

フランソワーズ・ブルー＆エマニュエル・ドゥ・ムルムステール
illustratrice et artiste, peintre

Youri et Michka
ユーリ＆ミシュカ
2 garçons / 11 ans et 7 ans

大きくなったら、マンガ家になりたいというユーリくん。
ミシュカくんはまだ最近まで、絵本のお年頃でしたが、
だんだんとお兄ちゃんのマンガに興味を持つように。
ユーリくんは、自分が夢中になっている世界のことを
弟に教えてあげられるのが、とてもうれしそう。
今日はリビングにある、パパとママの本コーナーで
それぞれ興味のある本を広げながら、おしゃべり。
おもしろい発見や、素敵な表現が見つかるたびに
ほら、見てみて！と、楽しそうな声があがります。

コンクリートと木材から生まれた、モダン・インテリア

ブリュッセルの中心地、ブリュッケール広場近くに暮らす4人家族。ママのフランソワーズさんは、イラストレーターで歌手としても活躍、パパのエマニュエルさんは油彩の画家で、装飾美術の学校で先生も務めています。この建物はもともと行政文書の保管庫で、2007年に住まいとしてリノベーションされました。建築家のニコラ・ヴァンデン・エクットにお願いして、L字型の空間にキッチンとリビング、3つの寝室と書庫を設けるようリフォーム。コンクリートと木材が美しくまざりあった、モダンなインテリアが生まれました。

左上：リビングの白い棚には、ママがコレクションしているガラスの花器がずらり。ギターはパパが昔を懐かしんで、もう一度弾きはじめたところ。右上：アリババの物語をモチーフにした、ママの作品。右下：のみの市で見つけた、女の子のイラストがかわいいクッション。

左上：カードゲームやマンガなど、最近ユーリくんとミシュカくん一緒に楽しめる遊びがたくさんできたそう。**右上**：ママが最初にリリースしたレコードのドイツ版とベルギー版。**左中**：ダイニングテーブルの中央に置いた「アレッシ」のフルーツバスケット。**左下**：チャリティバザーで手に入れた、ぞうの形のティーポット。**右下**：壁一面に広がるキッチン収納は、ナチュラルな木の風合いで、すがすがしい雰囲気。

上：ミシュカくんの部屋はグリーンのドア、ユーリくんの部屋は赤いドア。シンプルな室内の中で、2枚のドアのヴィヴィッドな色がアクセントになっています。左下：ユーリくんが7歳のころ描いたフランスのサッカー選手ジダンのイラストを大きく引き伸ばしてポスターに。右中：ママの原画をおばあちゃんに渡して、刺しゅうしてもらった作品。右下：トマト缶をブロック入れにリサイクル。

左上：子どもたちの部屋は、ロフトベッド付き。体操用のはしごでのぼります。左中：棚の側面に付けた赤いフックは、帰宅したら上着をすぐにかけられるように。右上：ユーリくんのデスク前には、小さなときにかわいがっていた思い出のぬいぐるみも。左下：ミシュカくんのデスクには、ナショナル・ジオグラフィック協会によるヨーロッパの地図を飾って。右下：ユーリくん手づくりの海賊の宝箱。

Pascale Havaux et Tim Siaens

パスカル・ハヴォー＆ティム・シアン

créatrice de We Were Small et graphiste

Lynn リン

1 fille / 4 ans

ママとリンちゃんのおしゃべりから生まれた
グレーのボディに、大きな目のモンスターたち。
リンちゃんは、ひとつひとつに名前をつけています。
左の薄いグレーで、まるい頭のモンスターはYOR。
そして右側のギザギザとさかがついている子はTO。
フェルトを使って、ぬいぐるみを作ったり
Tシャツに縫い付けて、アップリケしたり。
小さなモンスターたちは、いつでもどこでも一緒。
子どもたちとすぐに仲よしになれる友だちです。

左上:「ちょっとだけ弾けるよ」と見せてくれたギター。**中上**:ブリュッセルのアンティーク屋さんで見つけたイス。**右上**:リンちゃんのベッドシーツは、ママのブランドのもの。ぬいぐるみはパパの友だちからのプレゼント。**中**:サンタさんからのクリスマスプレゼントは、プレイモービルの家。**下**:ブリュッセルで子どものためのワークショップをしているママ。今日は家族で、フェルトのモンスターづくり。

バイリンガルの国で、すくすく育つキュートなモンスター

フランダース地方のウェメルは、ブリュッセルに近いながらも、緑が豊かでのんびりした町。子ども向けブランド「ウィー・ワー・スモール」を立ち上げたパスカルさんと、「ミルク＆クッキーズ」のグラフィックデザイナー、ティムさんはベルギーらしい2つのアイデンティティーを持つカップルです。ママはフランス語圏のワロン地方出身で、パパはこの地方の公用語オランダ語を話します。そんな両親に囲まれてリンちゃんは自然とバイリンガルに。さらにテレビ・アニメも英語のまま放送されるので、いろいろな言語にふれています。

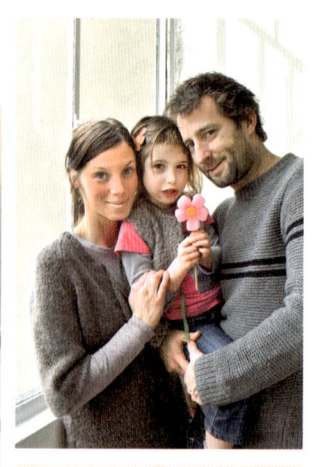

左上：キッチンは太陽の光がたっぷり入ってくるテラスに面していて、気持ちのいい朝を迎えることができます。右上：大好きなピンクのお花の形のキャンドルを手に。右下：ピンクにビーズ、プリンセスのアクセサリー、リンちゃんの夢がつまった宝物入れ。

上：窓の外に大きな湖が広がるリビング。ババはオランダ語の絵本を読んであげています。**左下**：家の中には家族の思い出の写真をたくさんディスプレイ。この1枚は、2010年の夏コレクションのために、リンちゃんをモデルに撮影したもの。**右中**：ババからプレゼントされた人形の横に、お散歩の途中で見つけた花をいけて。**右下**：ハンドメイドのクッションと、リンちゃんの考えたモンスターのぬいぐるみ。

47

左上：幼稚園で作ってくれたオリジナルのカレンダー。左中：ハートや手形プレートなど、工作をディスプレイしたコーナー。右上：ママが家の中でいちばんお気に入りのコーナーは、ハンドメイドのクッションやぬいぐるみがたくさん並ぶソファー。左下：ママのパソコン・デスク。ニューヨークで見つけたメッセージカードを飾って。右下：リンちゃんからの母の日のプレゼント。

リンちゃんの部屋の壁には、さまざまな色や柄の葉っぱがかわいらしい大きな木を、ママがペイント。木の幹の中央に鳥の巣箱型のライトをあしらいました。

左上：ママの友だちがプレゼントしてくれたヴィンテージのベッドは、やさしい曲線に包まれて、まるでゆりかごのよう。右上：フランス語の絵本『メルローズ＆クロック』を広げて。右中：パパとママがバルセロナに行ったときに持ち帰ってくれた花飾り。左下：カリブ海の島バルバドスに行ったときのおみやげの人形。右下：誕生日にプレゼントされた木製の自転車。

上：おままごとコーナーの壁は、大好きなピンクでペイント。リンちゃんとほぼ同じ背の高さの大きなモンスターの名前はWO。左下：ワインボックスをリメイクした洋服ダンス。リンちゃんにも分かりやすく、中に入れるもののイラストを描きました。右中：工作の時間に作った、写真入りの王冠。右下：ブリュッセルのデザインショップで見つけた、あひるのフィギュア。

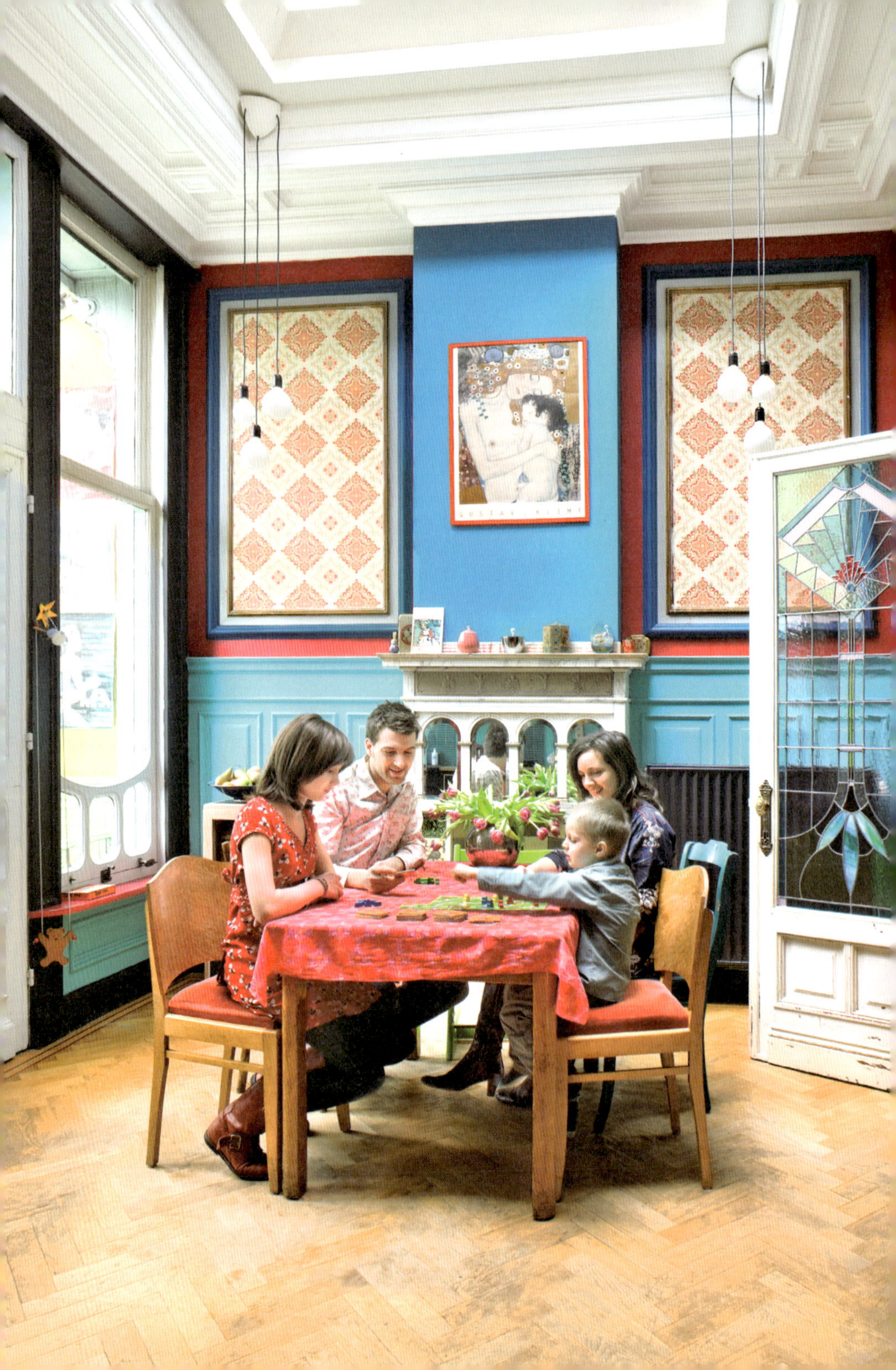

Adinda De Raedt et Arne Smits

アディンダ・ドゥ・ラエド＆アルネ・スミッツ
créatrice de Froy & Dind et ebéniste

Noa et Muno
ノア＆ムノ
1 fille et 1 garçon / 12 ans et 4 ans

アールヌーヴォー時代のステンドグラスのドアをあけると
赤とブルー、ヴィヴィッドな色にペイントした壁に
クリムトのポスターとプリント壁紙が飾られて……。
さまざまな色に、個性的なモチーフをミックスした
ダイニングキッチンは、カラフルで楽しい空間！
ガラス屋根から、太陽の光がたっぷりと差しこんでくる
気持ちのいいこの部屋は、家族みんなのお気に入り。
今日はテーブルを囲んで、ファミリー・ゲーム大会。
ボードゲーム「カルカソンヌ」で、盛り上がります。

アールヌーヴォーの建物を、色と光の空間に

「フロイ&ディンド」というノスタルジックなモチーフを使った雑貨ブランドを友だちのフロヤさんと一緒に立ち上げたアディンダさん。パパのアルネさんは家具職人で、ママのブランドのサポートもしています。家族4人の住まいは、アントワープの郊外ベルヘム地区にある、1890年に建てられた大きな一軒家。アールヌーヴォー様式のステンドグラスや木製ドア、天井の飾りなどは大切に手入れして、そのまま残しながら、壁はカラフルにペイント。古い建物と新しい感性がミックスした、自分たちらしい住まいが生まれました。

左上：明るいカラーリングで、お料理の時間もハッピーに。システムキッチンは黒で引き締めながら、壁をターコイズブルーと赤にペイント。右上：冷蔵庫の上もマグネットで楽しく。丸い形のものは、「フロイ&ディンド」の作品。右下：1893年ごろのタイルと、家族から譲り受けた木のイス。

左上：ノアちゃんとムノくんが通う学校は、感性を大切にした教育を行うシュタイナー校。左中：通りで拾ったガムボール・マシーンは、ガラスの質感が気に入って。その隣は「フロイ＆ディンド」の缶。右上：リビングとダイニングを仕切る、美しいステンドグラスのドア。左下：ブルーにペイントしたバスルームの鏡に、思い出の写真をピンナップ。右下：のみの市で見つけた60年代のパペット人形。

左上：コントラバスを習っているノアちゃん。**左中**：ノアちゃんが生まれたときに、ママの友だちが手づくりしてくれたクッション。**右上**：コントラバスの横には、お気に入りのマグネットボード。**左下**：パパとママの寝室の窓辺にある、ムノくんのコーナー。サーモンピンクの壁とグリーンにペイントして壁紙を貼った洋服だんすの色あわせがきれい。**右下**：きのこ型ランプは、ムノくんの誕生祝いの品。

マリン色に包まれる、ノアちゃんの部屋。暖炉の上には、ノアちゃんのアクセサリーや宝物を入れている「フロイ&ディンド」のボックスを並べて。

Marie-Aude Baronian et Bruno Taverne

マリー=オード・バロニアン&ブルーノ・タヴェルヌ
professeur en arts visuels et journaliste sportif

Aram アラム
1 garçon / 2 ans

クリアな朝の光に包まれるキッチンで、朝ごはん。
まわりが開けているので、眺めもよくて
たっぷりと入ってくる日ざしが、気持ちいい！
アラムくんは、おしゃべりが好きな男の子。
お買い物に行くときも、お店にいるみんなに
「ボンジュール！」とあいさつしてまわります。
まだ２歳で小さいのに、「愛しているよ」と
ママやパパにも、ありがとうの気持ちを伝えます。
そんな愛らしい様子に、まわりの大人も思わずにっこり。

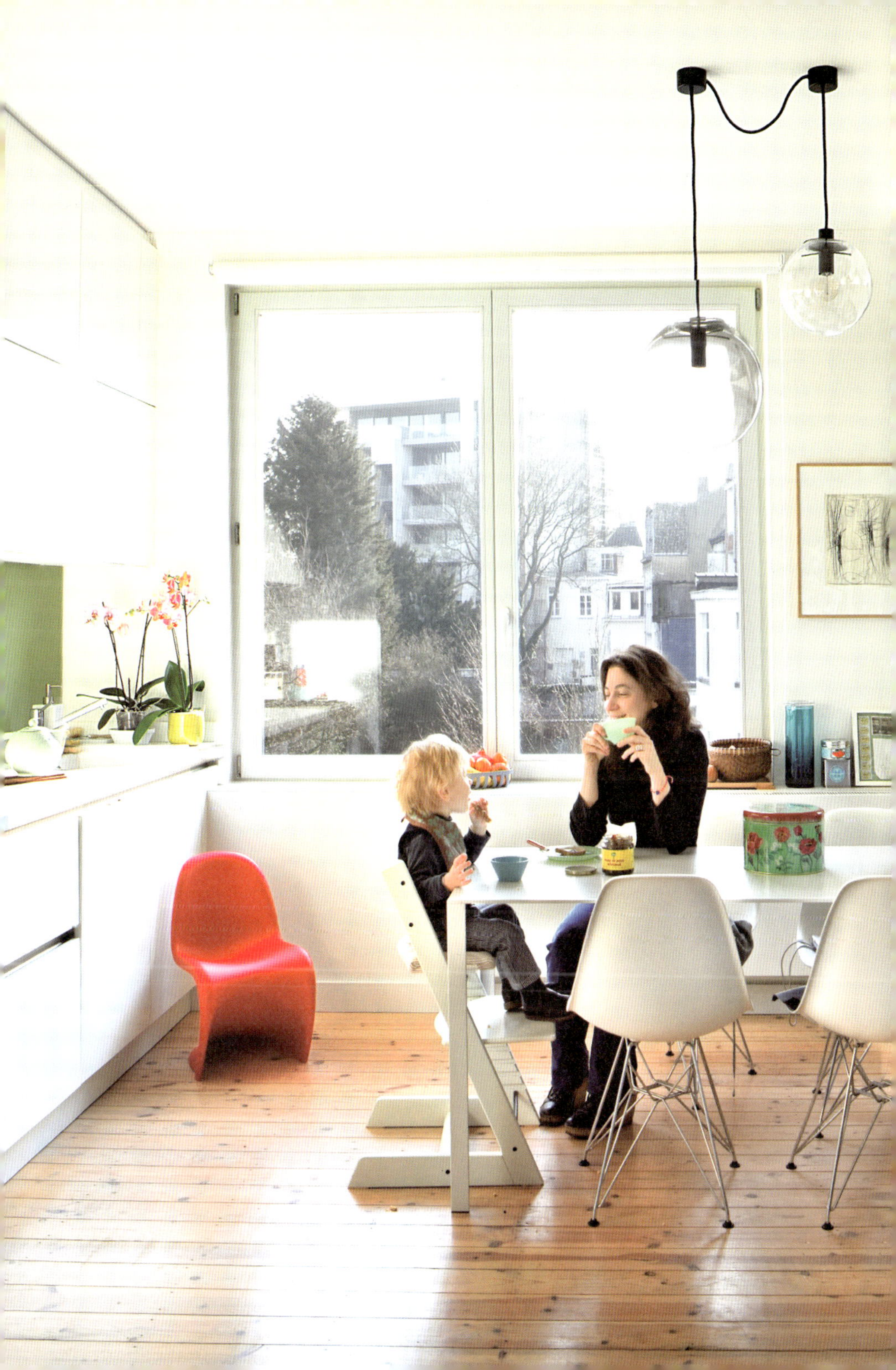

コンパクトな部屋に、小さな家族をもうひとり

アムステルダム大学でヴィジュアル・アートを教える、ママのマリー＝オードさんは美術史研究家。プロ・サッカー選手だったパパのブルーノさんは、いまスポーツ・ジャーナリストとして活躍しています。ブリュッセルのウックル地区にある、この家への引っ越しを決めたとき、ふたりはアラムくんがお腹の中にいることに気がついていなかったのだそう。リフォーム時には3人で暮らせるよう、コンパクトな空間を工夫。オープン・キッチンとリビングの続きに両親の寝室、そしてリビングから張り出した部分を子ども部屋にしました。

左上：30年代のミラーやオランダ製の棚、コラシコン社のランプなど、白い空間に取り入れた家具の黒いラインがアクセント。右上：「アラム」という名前は、ママのルーツであるアルメニアから。右下：パパの家族が経営していたパティスリー「タヴェルネ」で使われていたお菓子の型とお店の写真。

左上:パパとママのポートレートのそばには、ママが大好きなリスのブックエンド。中:高さの低い家具で、コーディネートしたリビング。ソファーには友だちのカトリーヌ・アルノーがデザインしたテキスタイルをかけて。左下:ニューヨークのテキスタイル雑貨ブランド「デュエル・ステュディオ」のおもちゃ。中下:「アンクル・グース」の積み木。右下:タマル・モーゲンドルフが手がけた巣箱。

左上＆右上：ママの友だちでもあるデザイナーのベネロペ・ガルニエが手がけたぬいぐるみ。
左下：手づくりの品や友だちからの贈りものに囲まれたアラムくんの部屋。アラムくんの誕生を祝い、成長を見守る気持ちに包まれているよう。**右中**：イームズの「ハング・イット・オール」に、ニット帽をかけて。**右下**：お気に入りのムートン・ブーツは「コン・ジュテ・グラン」のもの。

左上:「ジャマン・ピュエッシュ」のバッグはママのお気に入り。左中:おばあちゃんから譲り受けた宝石箱の上に、ヴィンテージのアクセサリーを広げて。右上:結婚する前からママが愛用していた「キューラックス」のシステム収納。左下:オランダの「バクハウス・ウースト」のリスと、イギリスのドナ・ウィルソンの雲型クッション。右下:ベッドサイドのテーブル上には、小説とママのアイデア・ノート。

Amélie de Kerchove et Wolfgang Zichy

アメリ・ドゥ・ケルショヴ&ウォルフガング・ズィシ
architectes

Julia, Laszlo, Léon et Gabor
ジュリア&ラズロ&レオン&ガボール
1 fille et 3 garçons / 10 ans, 7 ans, 2 ans et 7 mois

ブリュッセルの昔なつかしいアパルトマンで
ポピュラーだった「キュベックス」のキッチン。
建築家のパパとママは、そのスタイルを再現。
シックで落ち着きのある、素敵な空間です。
キッチンに立つと、目の前に広がるのは緑の庭。
パパにママ、4人の子どもたちが集まって
わいわい、にぎやかにお料理できる広さです。
今日のランチは、みんなでクレープづくり。
きれいに薄く、まぁるく焼けるかな？

左上：ジュリアちゃんは、クレープにハムをトッピング。左中：キッチンの雰囲気にぴったりと、ひとめぼれした時計。右上：30年代から40年代に多く見られたシステムキッチン「キュベックス」。床のタイルも当時のスタイルにならった模様に。左下：ベルギービール「ヴェデット」のキャンペーンで、ラベルに写真を印刷してプレゼントしてくれたボトル。右下：お花屋さんで見つけた鳥のオブジェ。

パパとママのアイデアから生まれた、家族の家

ブリュッセル自由大学のある、イクセル地区の集合住宅に暮らす6人家族。ママのアメリさんとパパのウォルフガングさんは、ふたりとも建築家として活躍するカップル。自分たちで計画を立てて、1950年代築の2軒の家をひとつにして、家族の住まいと建築事務所にリノベーションしました。1階は玄関ホールと建築事務所、2階はリビングやキッチンなど家族で過ごす空間、そして3階は子ども部屋で、4階が寝室。建物の中央に設けた階段のまわりに整然と部屋が並び、それぞれのフロアが目的をもって機能しています。

左上：ダイニング・テーブルを囲むイスは、パパのおばあちゃんがデザインしたもの。壁にはジョエル・ステインの作品を並べて。右上：まだ7か月のガボールくんは、いつもママと一緒。右下：画家として活躍するおじいちゃんが、妊娠中のママの姿を描いたポートレート。

左上：誕生祝いの鳥のオブジェが、ガボールくんのベッドの上に。
左中：レオンくんは、プラスチックよりも木でできたおもちゃがお気に入り。**右上**：2階のダイニングの横にある、子どもたちのプレイルーム。
左下：ラズロくんが小さなころ、フランスののみの市で見つけた車のおもちゃ。いまはレオンくんが遊んでいます。**右下**：ジュリアちゃんが4歳のころ、ママと一緒に作った宝物入れ。

左上：ポルトガルに暮らしていたときに、ひいおじいちゃんが5歳のころのパパを描いた絵画。左中：ロボット型クッションは、ラズロくんへのクリスマスの贈り物。右上：月曜の午後に、ギター教室に通うラズロくん。左下：レオンくんのおもちゃと靴。ピンクのイスは、ジュリアちゃんが小さなころに、ママと一緒にペイントしたもの。右下：ローズ・フェリシティ著の絵本はお気に入りの1冊。

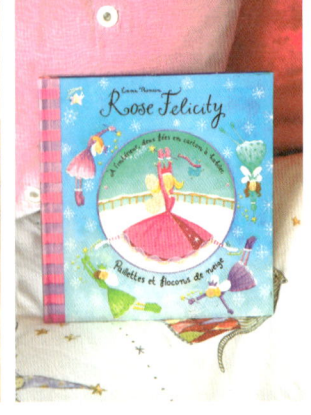

ジュリアちゃんの部屋に遊びにきた友だちがみんな、うらやましがるという家型のベッドは、パパが作ってくれたもの。

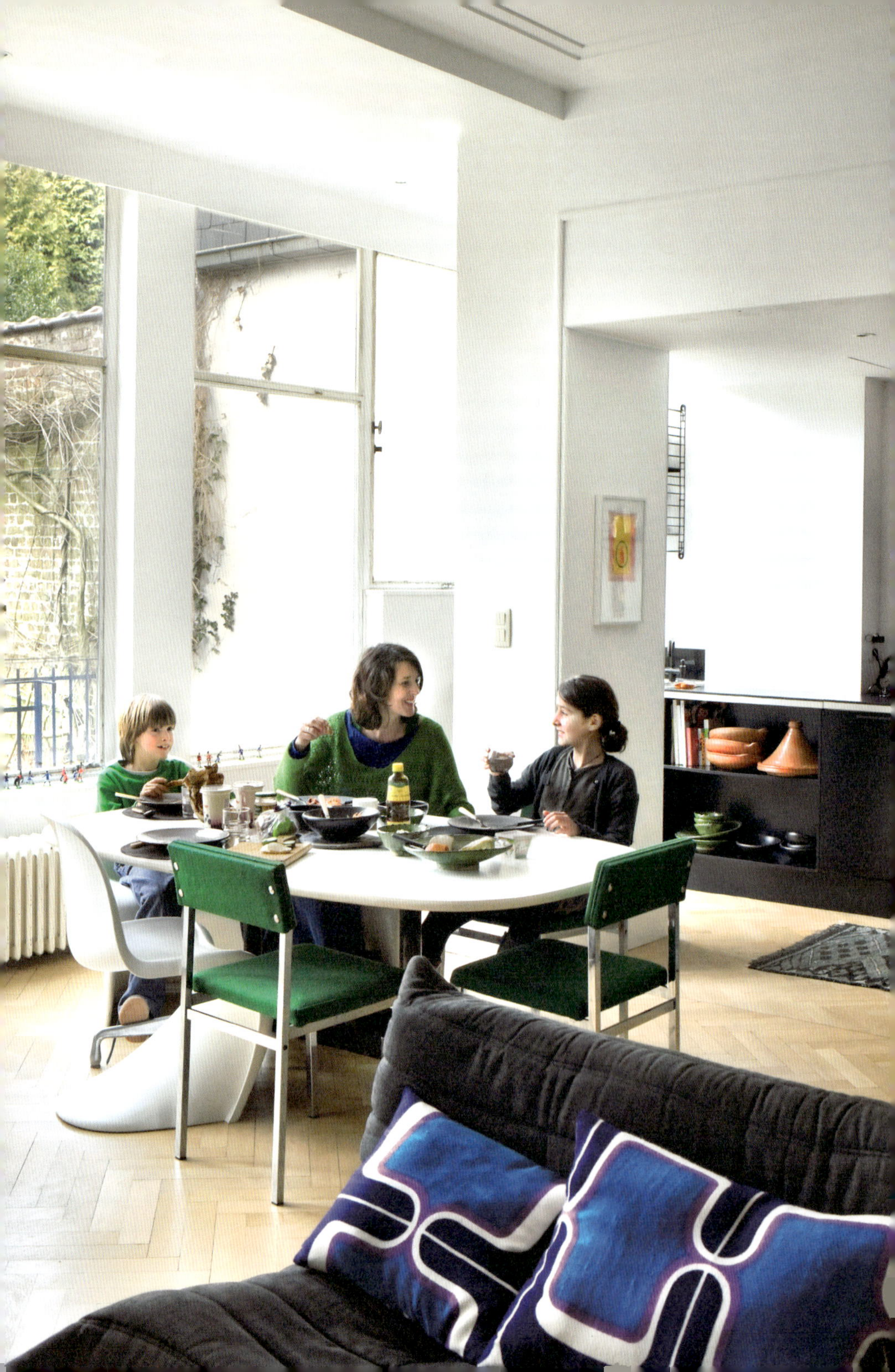

Catherine Arnould et Olivier Pestiaux

カトリーヌ・アルノー＆オリヴィエ・ペスティオー
architecte d'intérieur et infographiste

Lucie et Noé
リュシー＆ノエ
1 fille et 1 garçon / 11 ans et 9 ans

タジン鍋や、アルミのティーセット、藤のバスケット
エキゾチックな旅の思い出があちこちで顔をのぞかせる
リュシーちゃんとノエくんのアパルトマン。
パパとママは、モロッコが大好き。
ママが40歳になる年に、その記念のお祝いとして
家族みんなで、その1年間をモロッコで暮らす
「プレゼント・イヤー」を設けたほど！
子どもたちは、ベルギーの通信教育を受けながら
モロッコの学校にも通って、夢のような1年間でした。

アールヌーヴォー邸宅で、モダンに暮らすファミリー

ブリュッセルのウックル地区には、アールヌーヴォー様式の邸宅がたくさん。ママのカトリーヌさんと、パパのオリヴィエさん、そしてリュシーちゃんとノエくんが暮らす家も、1900年に建てられたもの。ベルギーの有名な建築家、ヴィクトール・オルタに教えをうけたヴァン・ニューウェンユイによる作品で、建築に関する書籍やカタログにも紹介されています。その外観は、まさに20世紀はじめのぜいたくな邸宅ですが、室内はパパとママのアイデアで、モダンな家族の住まいに生まれ変わりました。

上：キッチンの続きにあるリビングには、ママがコレクションしている70年代の家具が並びます。テレビは置かないようにしているので、パソコンでDVD鑑賞するのが、家族のお楽しみ。左下：ノエくんのお気に入りの兵隊人形。右下：マルシェ・ナポレオンのお祭りに参加したときの写真。

左上：普段から野菜中心のメニューを心がけているというママ。子どもたちも好き嫌いなく、さまざまな野菜の味を楽しみます。右上：エジプトやモロッコ、日本から持ち帰ったお茶の道具たち。左下：地下にあるパパとママの部屋。ラグはパパが子どものころから使っていたもの。右中：ママは建築家、パパはCGデザイナーというアーティスト一家。右下：30年代の布をリメイクしたバッグ。

左上：ロフトがノエくんのベッド。フェンスは家をリフォームしたときに出てきたパーツを再利用して。右上：歴史好きのノエくんは、特にナポレオンに夢中。左中：ヴィンテージのハンガーにかけた着物は、日本からのおみやげ。左下：のみの市で見つけたカードゲーム。右下：ベッドのそばの壁は、リュシーちゃんのピンナップ・ボード。女の子の人形はママから譲り受けました。

弓なりになったボウ・ウィンドウから、たっぷりの光が入るリュシーちゃんの部屋。白の薄手のカーテンからのぞく、庭の木々の緑が美しい空間です。

Monique Vugs

モニーク・ヴグ
styliste mode

Stan et Julia
スタン & ジュリア
1 garçon et 1 fille / 13 ans et 12 ans

緑の芝生が広がる庭に面した、ゆったりリビング。
大きな窓を開け放てば、まるで外にいるかのよう。
いつでもピクニックのような気分で楽しめます。
この大きなガラス窓に、みんなでお絵描き。
カラフルなマーカーを使って、透明なキャンバスの上
思い思いに、お気に入りの詩や絵を描きます。
ジュリアちゃんは、大好きな歌をハミングしながら。
スタンくんは、小さなころからデッサンが大好き。
いまはグラフィティをはじめたいと思っています。

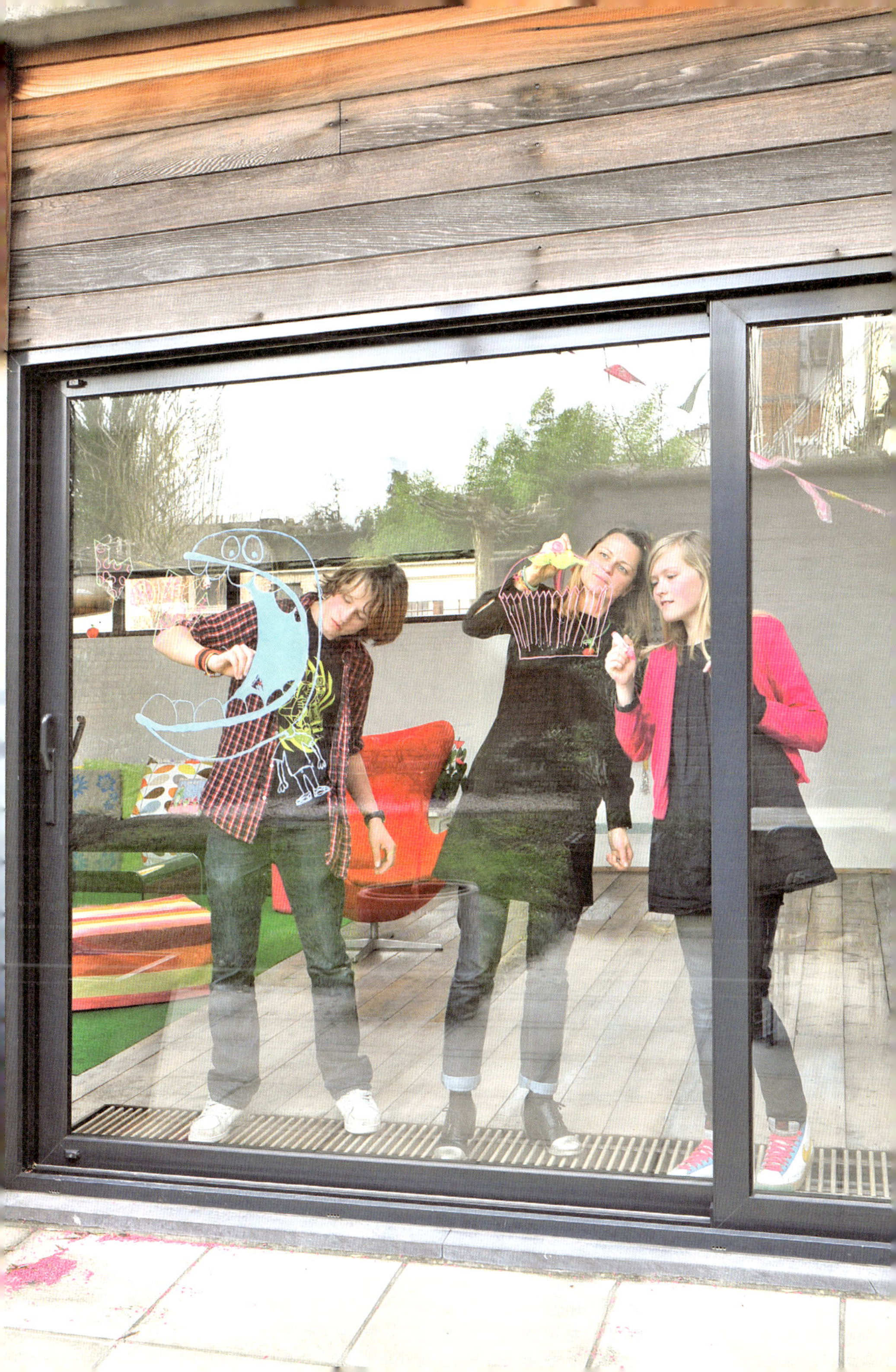

いつでもピクニック気分、開放的なリビングルーム

モニークさんは、フリーの洋服デザイナー。さまざまなブランドで、子ども服からレディースの洋服まで幅広いコレクションを手がけています。彼女が子どもたちと暮らすのは、アントワープのベルヘムという町。家の目の前には美しい公園が広がる、気持ちのいい場所です。庭へとつながる開放的なリビングを作ることができた秘密は、この建物がもともと洗車場だったから。だだっ広いガレージを快適な住まいにするために、大がかりなリフォームが必要でしたが、空間の魅力をいかした素敵な家ができあがりました。

上：芝生風のカーペットを敷いたリビング。アルネ・ヤコブセンの赤いエッグチェア以外の家具は、チャリティーショップやのみの市での掘り出し物。左下：グレーのソファーの上に、クッションで色を加えて。右下：おばあちゃんが15歳のころの写真の前に並ぶのは、コレクションしているペッツ。

左上：イタリアのフィレンツェのマルシェで見つけたバスケット。右上：編み物が得意なジュリアちゃんの愛用の道具を広げて。左中：ショッピングに行ったり、カフェでお茶したり、映画を観たり、3人で外出するのが楽しみ。左下：ジュリアちゃんの10歳の誕生日に、スタンくんがプレゼントしたちょうちょ。右下：ダイニングのコーナーの壁には、思い出をコラージュするようにピンナップ。

左上：赤いフレームのベッドにぴったりと、壁はグリーンにペイント。ポスターは、スタンくんの写真を大きく引き伸ばしたもの。**右上**：タンタンのフィギュアのそばには、スタンくんとおじいちゃんの写真を飾って。**右中**：スタンくんが描いたイラストと、13歳の誕生日パーティの写真。**左下**：ジュリアちゃんのブラウスとネックレス。**右下**：ママが子どものころ使っていたおままごとセット。

プリンセスになりたいという夢を叶えた、ジュリアちゃんの部屋。ピンクの壁に、あざやかな赤のテント、そしてシャンデリアで、ガーリーな世界。

Leenda Mamosa et Anthony Berthaud

リンダ・マモザ&アントニー・ベルトー
scripte et photographe, graphiste

Mina ミナ
1 fille / 7 ans

パパとママ、ふたりで内装を手がけたアパルトマン。
自分たちで、手入れをしてからというもの
これまであまり興味がなかった家具に、パパは夢中。
のみの市や、アンティーク屋さんをめぐって
ヴィンテージ家具を探すのが、いちばんの楽しみです。
掘り出し物探しにでかけるときは、ミナちゃんも一緒。
ドイツのルイジ・コラーニがデザインした、
ぞうの貯金箱は、ミナちゃんが見つけた宝物。
おうちで居場所を探してあげるのは、ママの役目です。

左上:のみの市で見つけた50年代から60年代にかけての時計を、ひとつの壁にまとめてディスプレイ。右上:タピオ・ウィルカラがローゼンタール社のためにデザインしたティーセット。左中:50年代のソルト&ペッパーは、ママの掘り出し物。左下:牛乳から生まれる食べ物について、学校の宿題のレポートを作っているミナちゃん。右下:家族が集まる窓辺のテーブルとイスは、イームズのもの。

ポップなデザイン家具をミックス・コーディネート

ベルギーでいちばん大きなブリュッセル南駅は、ロンドンやパリ、アムステルダムとつながる「陸の玄関口」。映画やテレビドラマの脚本を手がけるママのリンダさんは、パリでの仕事も多く、駅近くに家族の住まいを探しました。20年代に建てられたアパルトマンは、パリのサマリテーヌ・デパートを手がけた建築家によるもの。アパルトマンの中は、写真家として活躍するパパがいま夢中になっている50年代から70年代の家具がたくさん。どんどん増えていくコレクションを、ママが上手にコーディネートしています。

左上：ママのアイデアで大きな鏡を置いた玄関ホールは、ゆったりとした空間。「イケア」のカーテンの前で、ミナちゃんが座っているのはジャン・プルーヴェがデザインしたイス。右上：パパとママと一緒に遊ぶのが大好き。右下：50年代の花器と、結婚のお祝いにもらった大理石のゾウ型ブックエンド。

上：リビングには、個性的なデザインのイスがたくさん。ダークグレーにペイントした壁の中央にある写真は、パパの作品。左下：ミナちゃんの部屋に飾っている写真は、パパの大親友で写真家のアナベル・スニエのもの。右中：もぐらのボルケドゥーは、5歳のときの誕生日プレゼント。さるの形をした紙風船は、パリの中華街で見つけたもの。右下：ミナちゃんが大切にしているヴァカンスの思い出の貝がら。

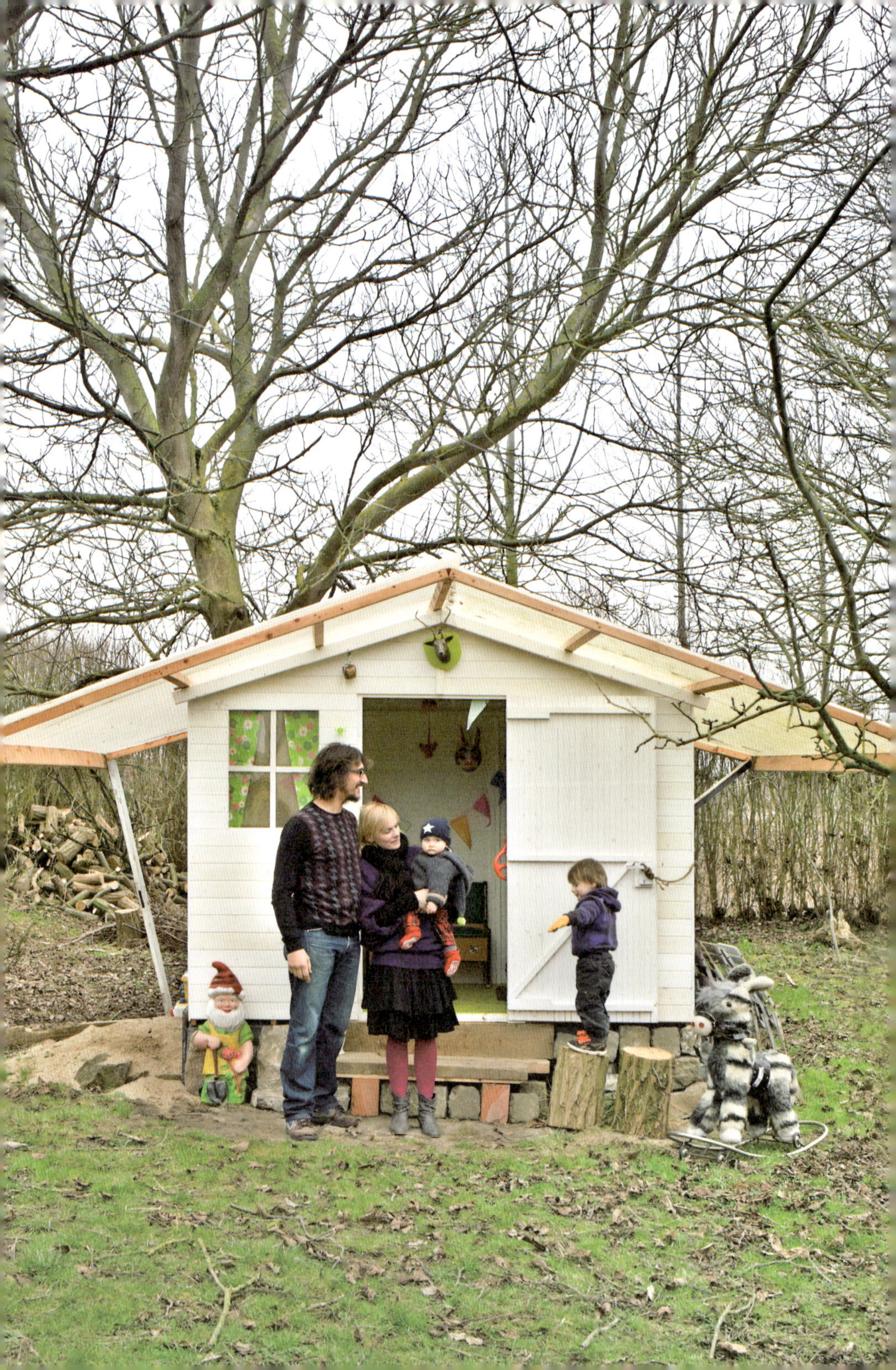

Valérie Denis et Fabrice Dermience

ヴァレリー・ドゥニ&ファブリス・デルミエンス
styliste et photographe

Elvis et Diego
エルヴィス&ディエゴ
2 garçons / 3 ans et 1 an

ワロン地方のナミュールにある、小さな村
トングリンに暮らすエルヴィスくんとディエゴくん。
エルヴィスくんが、生まれたときにはまだ
パパとママは、この大きな家をリフォーム中で
エルヴィスくんのために、小屋を作ってあげました。
その小さな秘密基地は、いまでもお庭の奥の
大きな木の下で、子どもたちを待っています。
ママの手で、かわいらしくデコレーションした
子どもたちのとっておきの遊び場所です。

パパとママの愛情がこもった、ハンドメイド・ハウス

ママのヴァレリーさんはスタイリストで、パパのファブリスさんは、広告やモードなどの分野で活躍するフォトグラファー。ときには一緒の仕事に取り組むこともあるというふたり。以前は仕事のためにブリュッセルで暮らしていましたが、出身地のナミュールに一軒家を持つというのが、ふたりの夢でした。さまざまな家を見るうちに、めぐりあったのがディスコとして使われていたこの建物。大工仕事の経験があったパパは、友だちと一緒に1年以上かけてリフォーム。まだ赤ちゃんだったエルヴィスくんと一緒に、引っ越してきました。

上：家の裏手に広がる庭を見渡すことができる、ゆったりとしたダイニング・キッチン。家具や雑貨でヴィヴィッド・カラーを取り入れようと思っていたので、壁は白くペイントして、床は落ち着きのあるダークブラウンの木材に。左下＆右下：ママは熱心なバンビ・モチーフのコレクター。

左上：好奇心たっぷりで活発なエルヴィスくんと、自分のまわりを観察するのが好きなディエゴくん。パパとママは、ふたりと過ごす時間を大切にしています。左中：のみの市で見つけた花器と、友だちからプレゼントされたバンビ型キャンドル。右上：地下にあるプレイルームは、壁面をあざやかなパープルに。左下：エルヴィスくんが2階にある子ども部屋へとご案内。右下：パパが撮影してくれた写真。

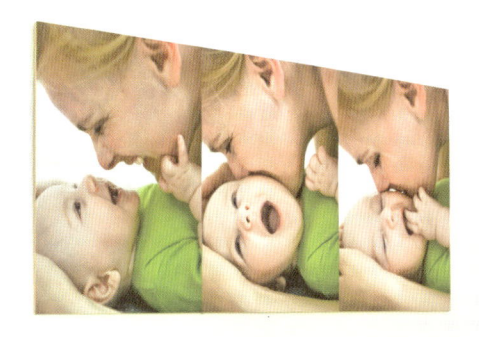

左上：電車はおじいちゃんとおばあちゃんから、手編みのシューズとブランケットはママやパパの友だちからのプレゼント。右上：ママがスタイリングの仕事で手に入れた犬のぬいぐるみ。左下：ネットオークションで手に入れた、ヴィンテージのベッドもバンビのイラスト入り。右中：あひるのおもちゃに乗って、ご機嫌のディエゴくん。右下：おばあちゃんの手づくりバスケットとブランケット。

左上：ママからプレゼントされたバンビのぬいぐるみを抱っこするエルヴィスくん。左中：のみの市で探したソフトビニール人形のコレクション。右上：パパが作ったベッドは、収納ボックス付き。壁には、お気に入りのアロハシャツをかけて。左下：子ども部屋の隣にある、パパとママの寝室。ベッドの上には手づくりクッションがたくさん。右下：ロンドンで見つけた蛍光ピンクのパンプス。

Caroline et Nicolas
Vanden Eeckhoudt

キャロリンヌ&ニコラ・ヴァンデン・エクット
chercheuse à l'Université et Architecte

Jeanette　ジャネット
1 fille / 10 mois

ブリュッセルで20世紀はじめに建てられた
アパルトマンの多くは、1フロアに1部屋ずつ。
積み木の家のように重なるスタイル。
同じような造りの家を手に入れた建築家のパパは
楽しいアイデアをたっぷり、取り入れることに。
リズミカルに壁からつきだした、手すりのない階段に
1階まで一気に、すべり降りることができるバー。
そして最上階の4階には、眺めのいいベッドルーム。
モダンなデザインに遊びごころがちりばめられています。

左上:寝室には、壁の形にあわせた一面の本棚。大きな窓は、ベッドに横になると空の上を漂っているような気分に。右上:アメリカのリチャード・オズミックの写真集は、おじいさんからの贈り物。左中:ババの仕事仲間、ローランスさんからもらった地球儀。左下:ババが14歳のころから大切にしている本。右下:旅行に行くときも持っていく、ジャネットちゃんお気に入りのプレイマットをリビングに広げて。

大人も子どもも楽しい、遊びのつまったプレイ・ハウス

ブリュッセル中央駅近くのフォレスト地区は、少し前まで職人さんたちの町で、工房で働く人のために建てられた、小さな家がいまでもたくさん並んでいます。その1軒を建築家のニコラさんがリフォームして、ブリュッセル自由大学で心理学を研究するキャロリンヌさんと、10か月になるジャネットちゃんと暮らしています。結婚する前に手に入れた家なので、どちらかというと大人のための遊び場としてデザインしたというパパ。でもジャネットちゃんが生まれて、3階に子ども部屋を作ることは、もっと大きな喜びと楽しみになりました。

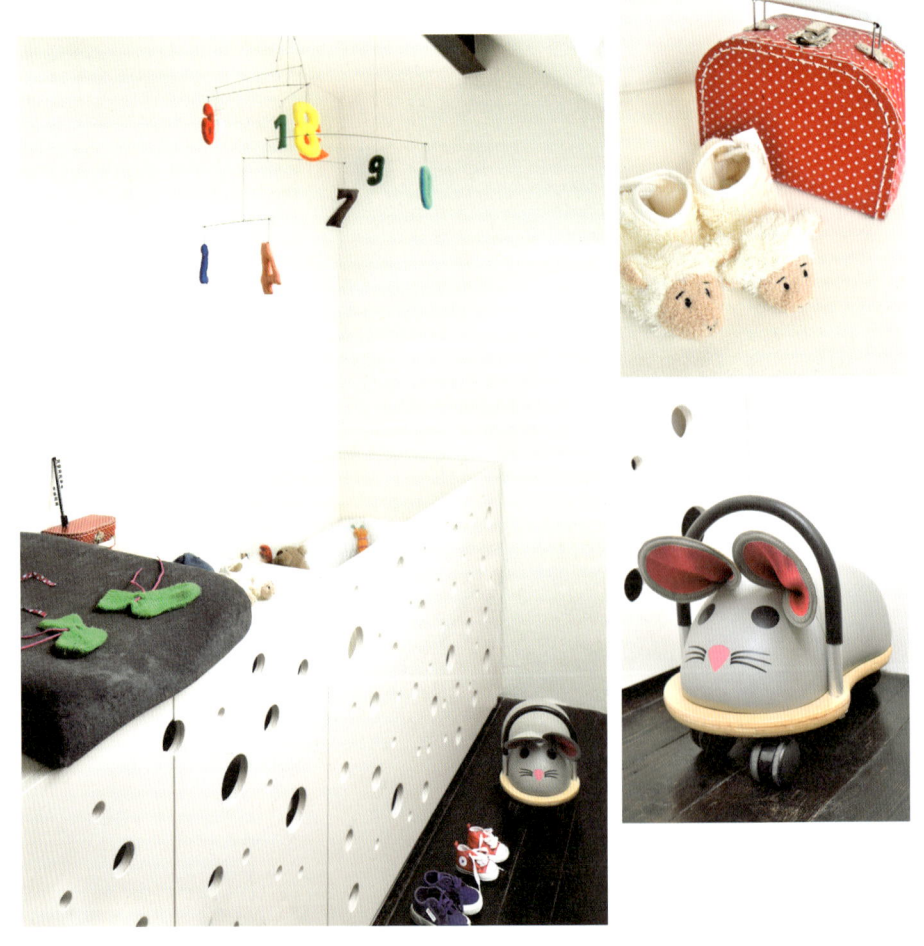

左上：3階はジャネットちゃんのための子ども部屋。柵のかわりに、側面にグリュイエールチーズのような穴をあけたベッドは、パパのデザイン。右上：友だちからプレゼントされたひつじのソックスと、おもちゃの入った赤い水玉トランク。右下：ねずみのカートは、オーストラリアの「ウィリーバグ」のもの。

左上：バーをすべり降りてくれたパパ。どろぼうが入ったときに、このバーを使って先回りして捕まえたことがあるのだそう！**右上**：1階にあるダイニングキッチンは、天窓があって開放的。
左下：ダイニングにつながるウッドデッキのテラスも、パパのデザイン。お隣のねこ、ゼゼットもよく遊びにきています。**右下**：ユニークなスタイルのランプは、ママの実家から持ってきたもの。

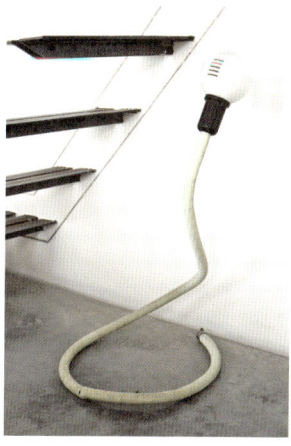

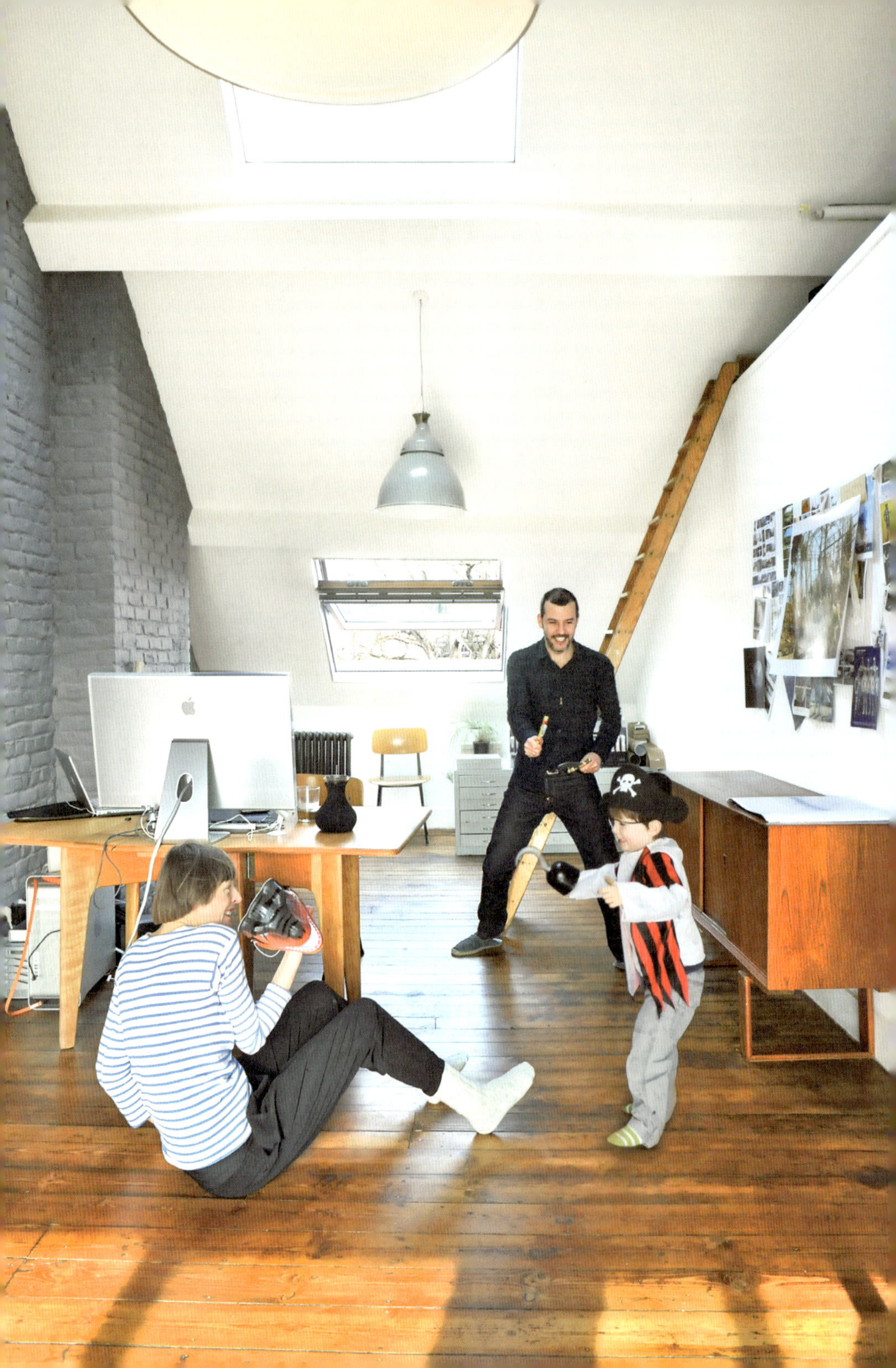

Justine Glanfield et Vincent Fournier

ジュスティヌ・グランフィールド＆ヴァンサン・フルニエ
styliste de Cotton and Milk et photographe

Oscar オスカール
1 garçon / 3 ans

オスカールくんが好きなのは、恐竜のアニメを見ること
そしてコスチュームを着る、ごっこ遊び。
ひとりで子ども部屋で遊ぶのも好きだけれど、
ママやパパと一緒に遊べば、もっと楽しい！
今日は4階にある、パパとママのアトリエで
コスチュームがたくさん入っている箱から
それぞれのアイテムを選んで、海賊ごっこ。
いろいろなストーリーがあるけれど、最後には
ヒーローのオスカールくんが勝利をおさめます。

小さな村のようなあたたかい町で、家族の時間を

イギリス出身のジュスティヌさんとフランス出身のヴァンサンさんはパリで出会い、結婚後にイギリスにお引っ越し。そしてオスカールくんが生まれたときに、のんびりとした環境の中で育ててあげたいという思いから、ブリュッセルへ。イクセル地区にある1910年に建てられた一軒家は、60年代から診療所と印刷屋さんとして使われていた建物。引っ越してきた最初の1年間はリフォームに費やすことになりました。ママがセレクトした白とグレーの色使い、そしてヴィンテージの木製家具が、あたたかい雰囲気を生み出しています。

左上：明るく静かな最上階は、創作にぴったりの場所。子どものためのニットブランド「コットン＆ミルク」を立ち上げたママのデスク。右下：ママの作品の素材となる糸は、すべてオーガニック。インスピレーションソースは、40年代から60年代にかけてのニット雑誌。

左上：2010年冬コレクションのためにイメージソースをピンナップした壁。右上：コスチュームの中でもオスカールくんのいちばんのお気に入りの海賊グッズ。左中：写真家として活躍するパパの作品。左下：のみの市で見つけた60年代の三輪車。右下：1階にあるリビングに広げた「ブリオ」の電車セットは、イギリスのおじいちゃんとおばあちゃんが来る度に持ってきてくれるおみやげ。

左上：リビングの続きにあるオープンキッチン。すぐそばにオスカールくんのデスクも置いて、お料理中も楽しくおしゃべり。右上：オスカールくんがもらったバレンタインデーカード。右中：アムステルダムにいる友だちからプレゼントされたゼリー型。左下：のみの市で見つけた理科の実験用ガラス器をフルーツバスケットに。右下：キッチンカウンターを黒板にして、自由にお絵描きを楽しめるように。

左上：パリで結婚式をあげたパパとママは、イギリスの雰囲気を取り入れたくて、パリをロンドンバスで一周。そのときの写真をお礼状にしました。右上：キッチンにはいろいろなお茶が並んで。左中：のみの市で見つけたタンタンのロケットと、フランスの思い出のマロンペースト。左下：食器棚にはヴィンテージのガラス器。右下：通りに捨てられていた食器棚にひとめぼれ。家までがんばって持ち帰りました。

101

左上：2階にある子ども部屋。50年代のデスクの上にはロンドン生まれのオスカールくんのためにバディントンのぬいぐるみ。右上：アムステルダムで見つけた、ヴィンテージの飾り棚。右中：ハワイでパパが撮影した写真。左下：いまは使っていない暖炉の中を、おもちゃの整理棚に。右下：ママがデザインしたオーガニックコットンの洋服と、オスカールくんの誕生祝いのテディベア。

中央にベッドを置いているのは、その周りをかけっこすると、オスカールくんがぐっすり眠ってくれるから。大きな地図は、パパとママが旅の思い出をお話してあげるときのために。

Elise Beernaert

エリズ・ブルナエ
conseil en décoration

Clarence et Lila
クラランス&リラ
1 garçon et 1 fille / 10 ans et 7 ans

お兄ちゃんのクラランスくんは、自分の世界を持っていて
ファンタジーあふれるお話を考えたりするのが好き。
歌を歌ったり、楽器を演奏したり、音楽が好きな
リラちゃんはアフリカのたいこ、ジャンベに夢中です。
どんどん大きくなって、表情も変わっていく
子どもたちのいまの姿を残しておきたくて、ママは
フォトグラファーの友だちに、撮影してもらいました。
4年前に、公園で撮影した写真と一緒のポーズ。
ほら、こんなに大きくなったでしょ？

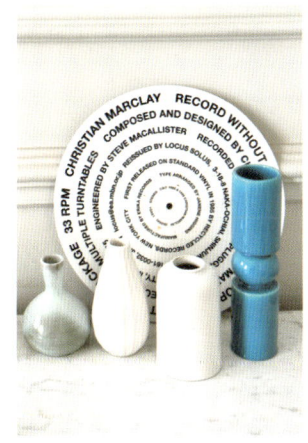

左上：リラちゃんが描いたイラストには、ママが大好きというメッセージ。左中：花瓶コレクションのうしろのレコードは、クリスチャン・マークレーの「レコード・ウィズアウト・ア・カバー」。右上：カードを組み立てて、高いタワーを作る子どもたち。左下：遊んでいたカードは、イームズがデザインした「ハウス・オブ・カーズ」。右下：おもちゃの家は、お隣さんからのプレゼント。

さわやかで居心地のいい、家族のリラックス・スペース

インテリア・ブランドのためにテキスタイルを企画提案しているエリズさん。ふたりの子どもたちと一緒に、ブリュッセルのイクセル地区に暮らしています。19世紀末に建てられたアパルトマンで、美しい板張りの床に、大きな暖炉、高い天井、そしてゆったりとした階段は当時のまま。インテリアにはほとんど手を入れませんでしたが、壁は白くペイントして、光を集めて明るくなるように。家の裏手には庭が広がっていて、子どもたちが木登りしたり、夏はハンモックに揺られたり、のんびり過ごすことができるうれしいスペースです。

左上：庭に建てた小屋は、夏になると壁一面が白いバラにおおわれ、足下にはあじさいが咲き誇ります。右上：得意な木登りを見せてくれたリラちゃん。右下：キッチン雑貨が好きなママが、ひとめぼれした「イーノ」のフルーツバスケット。

左上：ママと子どもたちがお気に入りの遊びは「ニ・ウィ・ニ・ノン」。質問にイエスともノーとも答えてはいけないゲームです。左中：クラランスくんがいま夢中になっている、魚の飼育セット。右上：3階にあるクラランスくんの部屋。パソコンで映画を見ていたら、リラちゃんもそばにやってきました。左下：壁にはクラランスくんが自分で書いたサイン。右下：ママがプレゼントしたギター。

お兄ちゃんの部屋の隣にある、リラちゃんの部屋。暖炉の上のポスターは、ドイツで行われた奈良美智展のもの。女の子の顔がリラちゃんにそっくりと、ママが飾りました。

上：冷蔵庫にオーブン、洗濯機、アイロン台と少しずつ集めたおもちゃ。いまではもう、おままごとに必要なアイテムがすべて揃っています。左中：おばあちゃんの写真や、ママのマトリョーシカ、クラランスくんのぜんまい人形など、幼かったころの思い出の品。左下：リラちゃんがかわいがっているぬいぐるみたち。右下：バスケットの中におもちゃを整理。人形はドミニカの友だちからプレゼントされたもの。

Morgane Teheux et Alexis Vanhove

モルガンヌ・トゥオー&アレクシス・ヴァンオヴ
créatrice boutique little circus et antiquaire

Eliott et Reinette
エリオット&レイネット
1 garçon et 1 fille / 5 ans et 2 ans

やさしいお兄ちゃんのエリオットくんと
甘えっこで、チャーミングなレイネットちゃん。
パパとママ、家族みんなで一緒に過ごす
楽しいウィークエンドのはじまりは、朝ごはんから。
今朝はみんなで、ワッフルを焼くことに。
週に一度は必ず、子どもたちの大好物のワッフル。
焼きたては、シンプルに粉砂糖をふって。
ベリー系のジャムも、子どもたちのお気に入り。
あつあつの焼きたてを、すぐにいただきます!

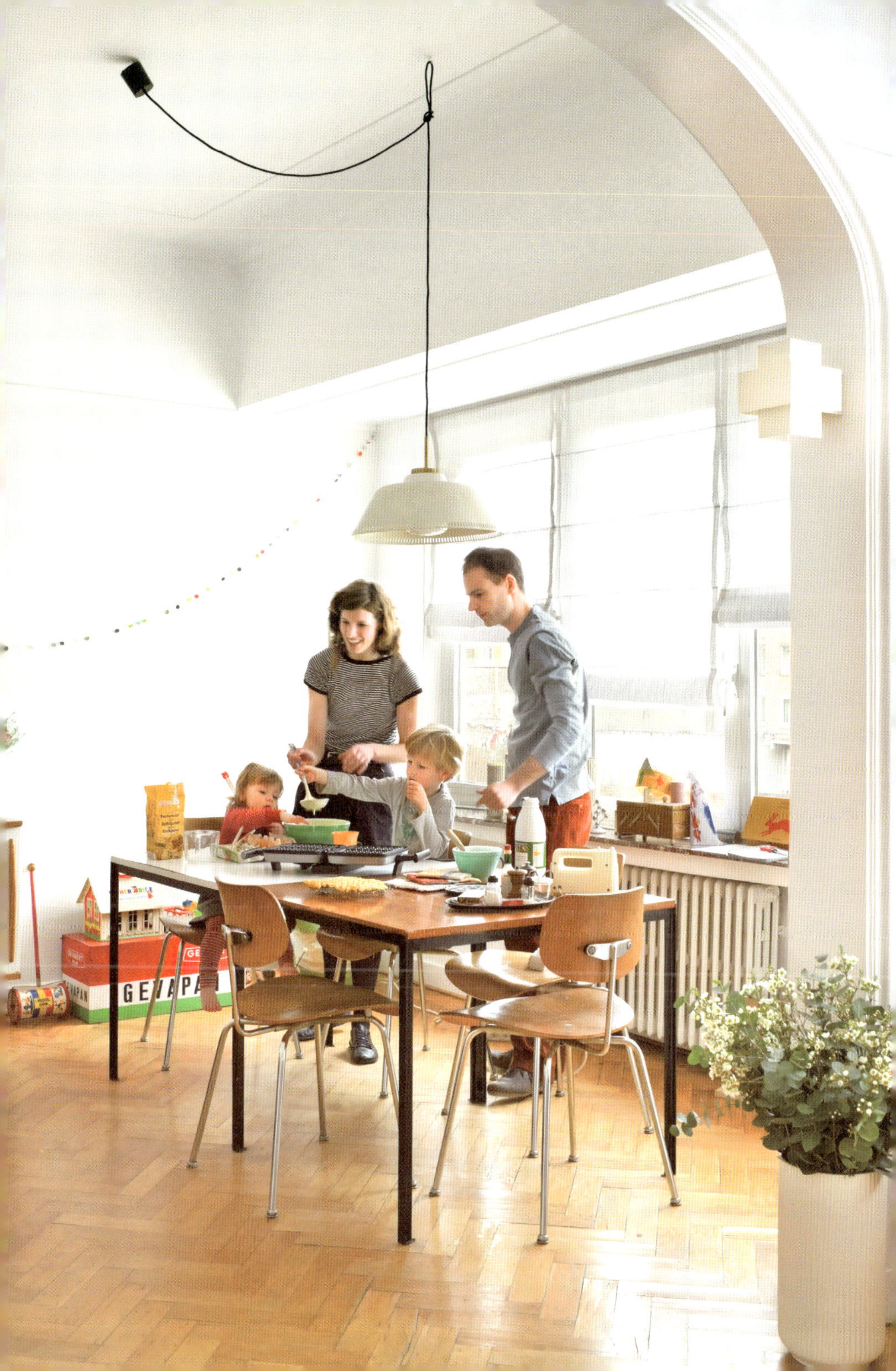

ヴィンテージ家具と子ども雑貨が並ぶ、やさしい空間

子どものためのデザイン雑貨のオンラインショップ「リトルサーカス」を立ち上げたモルガンヌさんと、1920年代から70年代のヴィンテージ家具を扱うギャラリーを経営するアレクシスさん。ふたりの子どもたちと一緒にブリュッセルのイクセル地区に暮らしています。子どものためのオブジェが家のあちこちにあるので、まるで家全体がプレイルーム！ヴィンテージ家具のまわりに、子ども雑貨がちりばめられることで、子どもたちはもちろん、大人もほっとできる、ぬくもりのある空間になっています。

上：1930年代の建築でよく見られる、まるみのある梁がダイニングとリビングの間仕切り。ママのアトリエ・コーナーのデスクは、フィンランドのイルマリ・タピオヴァーラのデザイン。左下：木馬のボードは、友だちの手づくり。右下：デスク周りには、洋服のカタログや新しい商品などがたくさん。

左上:シンプルなレシピで作る、ママのワッフル。あまったら、またグリルしておやつにいただきます。右上:レイネットちゃんはもう、パパやママ、お兄ちゃんをまねして、フォークやスプーンを使うようになったのだそう。左下:ママが大切にしているものをディスプレイした壁。右中:ヴィンテージのミルク缶をペン立てに。右下:ママのサイトで扱っているイギリスのニット・カバー。

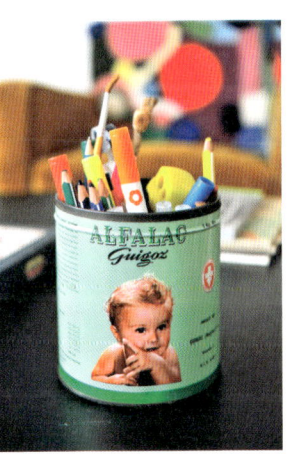

リビングには、インゴ・マウラーの大きなランプ。ノール社のソファーやマックス・ビルがデザインしたテーブルなどパパのコレクションが並びます。

左上：お兄ちゃんから譲ってもらった投げ輪と「アン＝クレール・プチ」のアヒルのぬいぐるみ。右上：レイネットちゃんと同じ名前の品種のりんごのイラスト。「アンクル・グース」の積み木とフィッシャー・プライス社のラジオ型オルゴールを並べて。左下：お母さんごっこに夢中のレイネットちゃん。右中：古本の紙で作ったガーランドと、手編みのワンピース。右下：ミッフィーは最近のお気に入り。

左上：エリオットくんの部屋には、パパが見つけた50年代のシャンデリアと60年代の収納棚。そしてママのサイトで扱っている「ラッキー・ボーイ・サンデー」のニット小屋。右上：ハリー・ベルトイアのイスの上には、「ケナナ」のふくろう。右中：フィッシャー・プライス社の牛乳屋さん。左下：パパが子どものころ遊んでいた空港のおもちゃ。右下：フィッシャー・プライス社の学校セットと、古い絵本たち。

左上：スイスでパパが見つけたバーフックに、ヴィンテージの赤いリュックサックやカウボーイハットなどをかけて。右上：のみの市での掘り出し物の絵本とドミノ。左中：ニューヨークのクリエーター、タマル・モーゲンドルフの作品。左下：「ケナナ」の恐竜は、エリオットと大の仲良し。テリオブロソールと名前もつけています。右下：ベッドのそばには、のみの市で見つけた天体のタペストリー。

BRUXELLES

ブリュッセル

ベルギーの首都、ブリュッセル。旅のはじまりは、世界でもっとも美しい広場といわれるグラン・プラス。世界遺産にも登録されています。石畳の広場は一周するのに5分ほどの広さだけれど、ぐるりとまわりを囲むゴシック様式の建物の美しいディテールを眺めていると、時間を忘れてしまうかのよう。この広場を中心に、有名な小便小僧の像などの観光スポットや、ショッピングスポットがたくさん！アールヌーヴォーの建築物やストリートアートなど、お散歩するのが楽しい町です。

ジュウ・ドゥ・バル広場ののみの市
Marché aux Puces
Place du Jeu de Balle 1000 Bruxelles
open：月-日 6:00 - 14:00

マロール地区の中心ジュウ・ドゥ・バル広場にたつ、のみの市は休みなく毎日オープンしているのでヴィンテージ好きにはうれしい場所です。テーブルウェアに、洋服、家具、大工道具などの日用品までなんでも揃います。特ににぎわうのが週末の午前中。掘り出し物探しにおすすめです。

ボザール
Bozar
23 rue Ravenstein 1000 Bruxelles
open：火,水,金 - 日 10:00 - 18:00,
　　　　木 10:00 - 21:00
www.bozar.be

アート、音楽、映画、演劇、ダンス、文学、建築など、さまざまな分野の芸術のためのカルチャーセンター。建物はアールヌーヴォー建築で有名なヴィクトール・オルタによるデザインで、1928年に建てられました。ミュージアムショップも充実していて、新しいアートと出会うことができます。

おもちゃ博物館
Musée du Jouet
24 rue de l'Association 1000 Bruxelles
open：月 - 日 10:00 - 12:00, 14:00 - 18:00
www.museedujouet.eu

おもちゃ博物館は「2歳から102歳まで、すべての人たちが楽しめる」場所！建物の外では、黄色いロボットくんがお出迎え。中にはドールハウス、木馬、人形など、あらゆる時代のおもちゃコレクションが並びます。おもちゃ修理のアトリエもあって、古いものを大切にする様子がかいまみられます。

マンガ博物館
Centre Belge de la Bande Dessinée
20 rue des Sables 1000 Bruxelles
open：火 - 日 10:00 - 18:00
www.cbbd.be

バンド・デシネとは、フランス語でマンガのこと。エルジェの「タンタン」をはじめ、ペヨの「スマーフ」など、いまでもみんなに親しまれているベルギーの作家やキャラクターたちに出会えます。原画の展示をはじめ、貴重な本が並ぶ図書室、アニメ制作の様子なども見ることができます。

楽器博物館
Musée des Instruments de Musique
2 Montagne de la Cour 1000 Bruxelles
open：火 - 金 9:30 - 16:45, 土・日 10:00 - 16:45
www.mim.be

王宮のすぐ近くにある楽器博物館は「いま聞いているものを見ることができる」博物館。古代エジプトの楽器をはじめ、世界中の楽器を展示していて、目の前に飾ってある楽器の音色をオーディオガイドで聞くことができます。館内のレストランはブリュッセルの素敵な景色を楽しめるビュースポット。

クック＆ブック
Cook & Book
1 place du Temps Libre 1200
Bruxelles
www.cookandbook.be

本屋さんとレストランをミックスした、新しいコンセプト・ストア。2階建ての2つの建物がつながる広い店内は、楽しいインテリア。絵本コーナーでは、床の下に電車が走っていたり、レストランにキャンピングカーの席があったり、子どもたちを飽きさせません。

トロピスム
Tropismes
4 Galerie du Roi 1000 Bruxelles
open：月 13:00 - 18:30、火 - 木 10:00 - 18:30、
　　　金 10:00 - 20:00、土 10:30 - 18:30、日 13:30 - 18:30
www.tropismes.be

ショッピングアーケードのギャラリー・サン・ユベールの中にある、バンドデシネと子ども向けの本を扱う本屋さん。1階には小さな子どもたちのための絵本やおもちゃ、2階には年長の子どもたちのための本が並びます。「ラバルトモン」と呼ばれる最上階のコーナーには、バンドデシネがずらり！

プレジエール
Plaizier
50 rue des Éperonniers 1000 Bruxelles
open：月 - 土 11:00 - 18:00
www.plaizier.be

グラン・プラス近くにあるアートショップ。店内に入ると、壁一面にたくさんのポストカードが飾られています。1979年からオリジナルのポストカードの制作をはじめ、80年代からはアーティストと一緒にコラボレーションして、ポスターやカタログを出版。アーティスティックなおみやげが見つかります。

セルニールズ
Serneels
69 avenue Louise 1050 Bruxelles
open：火 - 土 9:30 - 18:30
www.serneels.com

子どもたちにとって、アリババの宝の山のようなおもちゃ屋さん。ドールハウスにパペット人形、積み木やぬいぐるみなど、世界中から集められたおもちゃは、どれも時代をこえて子どもたちに愛されるものばかり。1959年オープン当時からの哲学を守って、質のいいおもちゃがセレクトされています。

カット・エン・ムイス
Kat en Muis
32 rue Antoine Dansaert 1000 Bruxelles
open : 月 - 土 10:30 - 18:30

デザイナーブティックが建ち並ぶ、にぎやかなアントワーヌ・ダンサエルト通りにある、モードな子ども服ブティック。ベルギーのデザイナーが手がけるブランドを中心にセレクト。まだこのお店でしか手に入らない、クリエーションをはじめたばかりのデザイナーの作品と出会うこともできます。

メルクレディ
Mercredi
48 rue Armand Campenhout 1050 Bruxelles
open : 月 14:00 - 18:30, 火 - 土 10:30 - 18:30
www.mercredi-bruxelles.com

シャトレーヌ広場近くにある、フランス語で「水曜日」という名前のセレクトショップ。かわいい子ども服をはじめ、子どもたちのための夢のあるデザイン家具が並んでいます。オーナーのレオニーさんが出会った、才能あふれるクリエーターたちの作品と出会うことができます。

メゾン・ダンドワ
Maison Dandoy
31 rue au Beurre 1000 Bruxelles
open : 月 - 土 8:30 - 19:00, 日 10:30 - 19:00
www.biscuiteriedandoy.be

ベルギーの代表的なお菓子スペキュロスは、スパイスの効いた、さくっと歯ごたえのいいビスケット。180年前と同じレシピで作られるスペキュロスを扱う、老舗のお菓子屋さん。シナモンの香りただよう店内には、動物や人、建物などさまざまなモチーフのスペキュロスの木型がディスプレイされています。

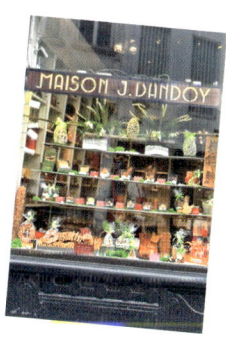

ラ・カンティンヌ・ドゥ・ラ・ヴィユ
La Cantine de la Ville
72 rue Haute 1000 Bruxelles
open : 月 - 日 11:00 - 23:00
www.cantinedelaville.be

「カンティンヌ」とは、フランス語で食堂という意味。その名の通り、親しみやすい雰囲気のレストランで、インテリアもフォルミカ素材のテーブルに、ヴィンテージのライトなど50年代のスタイル。スープやサラダ、ハンバーガーに食後のデザートまで、カジュアルに食事を楽しめます。

GUIDE

アントワープ
ANTWERPEN

ブリュッセルから北へ、オランダ国境にもほど近いベルギー北部のアントワープは、フランドル地方にあるベルギー第2の都市。15世紀ごろからヨーロッパの商業・金融の中心地として発展した歴史のある町で、当時からダイヤモンドの町として知られてきました。また、画家のルーベンスを生んだアートの町でもあり、マルタン・マルジェラやドリス・ヴァン・ノッテンなどベルギー・モードの中心地としてショッピングも楽しい町です。

マルクト広場
Grote Markt

ルネッサンス様式の華やかなファサードの市庁舎やギルドハウスに囲まれたマルクト広場は、アントワープの中心地。広場の中央にある噴水には、アントワープの名前の由来を生んだと言われる、ローマ戦士ブラボーのブロンズ像があります。マーケットやイベントなどが行われることもあるそう。

アントワープ現代美術館
MuHKA
Leuvenstraat 32, 2000 Antwerpen
open : 火・水・金・土 11:00 -18:00,
　　　　木 11:00 -21:00
www.muhka.be

フランドル地方で活躍するアーティストをはじめ、1970年代以降のモダンアート作品を世界中から集めた美術館。3階には、子どもたちが自由に創作できるアトリエや、図書館、プレイルームもあります。最上階には眺めのいいカフェがあるので、ひといきつくのにぴったり。

モード博物館
MOMU
Nationalestraat 28, 2000 Antwerpen
open : 火 - 日 10:00 - 18:00
www.momu.be

2002年にオープンしたモード博物館には、ベルギー出身のデザイナーの作品をはじめとする、すばらしいコレクションが展示されています。16世紀ごろからの民族衣装など歴史的資料をはじめ、テキスタイルや刺しゅう、レースの展示は、手作業のすばらしさを感じさせる興味深いものばかり。

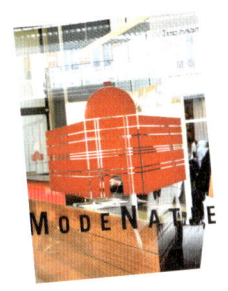

アントワープ動物園
Zoo Antwerpen
Koningin Astridplein 26, 2000 Antwerpen
www.zooantwerpen.be

アントワープ動物園は、1843年にオープンした、世界でいちばん古くからの歴史を持つ動物園のひとつ。アントワープ中央駅近くにあるので、この町に暮らす人たちにとっても、緑のオアシスとして親しまれています。美しい建物の中で5000頭近くの動物たちが、子どもたちを待っています。

リワインド
Rewind
Riemstraat 27, 2000 Antwerpen
open : 火・日 13:00 - 18:30,
　　　　水 - 土 11:00 - 18:30
www.rewinddesign.be

エコロジーをコンセプトにしたセレクトショップ。リサイクルやリユース、フェアトレード、リフォームやカスタマイズをテーマに集められた家具、ファッション小物、雑貨が店内には並びます。ヨーロッパのさまざまなクリエーターとコラボレーションした展示会などの企画も楽しみ。

アコティ
Akotwee
Melkmarkt 28-30, 2000 Antwerpen
open : 月 - 土 10:30 - 18:00, 日 10:00 - 18:00
www.akotee.be

石畳の通りで、ひときわ目をひく赤に白の水玉柄がキュートなファサードの雑貨屋さん。カラフルでちょっとキッチュなデザインのキッチン用品やステーショナリーなどの雑貨とともに、お部屋の中が楽しくなりそうなガーランドランプやローテーブル、スツールなどの家具が並びます。

キッズ・オン・ザ・ドックス
Kids on the Docks
Vlaamsekaai 27, 2000 Antwerpen
open : 火 - 金 10:00 - 13:00, 14:00 - 18:00,
　　　　月 14:00 - 18:00, 土 10:00 - 18:00
www.kidsonthedocks.be

王立美術館にほど近い場所にある、子どものためのセレクトショップ。0歳から10歳までの洋服のほか、子どもたちが夢中になるキュートでファニーなぬいぐるみやおもちゃが揃います。いろいろな名前が書かれたバースデーカードを吊り下げた階段をのぼっていくと、2階は家具コーナーです。

プリンセス・オブ・ドゥ・エルト
Prinses op de Erwt
Graaf van egmontstraat 1, 2000 Antwerpen
open : 月 13:30 - 18:00, 火 - 土 10:00 - 18:00
www.prinsesopdeerwt.be

「キッズ・オン・ザ・ドックス」のすぐ近く、小さな公園のそばにある、子どものためのインテリアショップ。お店の名前はオランダ語で「水玉のプリンセス」という意味。その名のとおり、おとぎ話の中に迷いこんだような雰囲気。オランダから届いたカラフルなインテリアグッズが揃います。

イン・デン・オリファント
In Den Olifant

Leopoldstraat 23, 2000 Antwerpen
open：月 - 土 10:00 - 18:00
www.indenolifant.be

青いゾウさんのイラストがロゴマークのおもちゃ屋さん。3階建ての店内には、パズルや積み木、ぬいぐるみなどはもちろん、子どもたちがゆっくり絵本を楽しめるよう、読書コーナーになった小屋があります。アントワープの子どもたちが通学用に使う、かわいらしいバッグも並んでいます。

コピーライト
Copyright

Nationalestraat 28a, 2000 Antwerpen
open：火 - 土 11:00 - 18:30、日 14:00 - 18:00
www.copyrightbookshop.be

モード美術館のそばにある本屋さん。その美しい建物は、ベルギーの有名建築家、ヴィンセント・ヴァン・ドゥイセンの手によるもの。アートやグラフィック、建築やモードといったヴィジュアルブックの品揃えが豊富です。クリエーターとコラボレーションした、オリジナルグッズもあります。

タレンティドゥブールト
Talentindebuurt

Statiestraat 83, 2600 Antwerpen-Berchem
open：金 10:00 - 18:00、土 10:00 - 16:00
www.talentindebuurt.be

アントワープを中心に100人以上のアーティストたちが集まり、町を元気にするプロジェクトのひとつとして立ち上げたお店。クリエーターたちの手によるファッション、インテリア、フード、子ども向けのアイテムが集まります。いまのアントワープを感じる作品と出会うことができます。

カフェナシオン
Cafeènation

Hopland 46, 2000 Antwerpen
open：月 - 金 8:30 - 19:30
www.caffenation.be

2003年にロブ、バート、ジェシー、デイジーの4人の仲間が立ち上げたカフェ。大きなサイズのソファーにゆったりと座って、バリスタがいれたおいしいコーヒーを楽しむと、町歩きの疲れがいやされます。子どもたちにはチョコレートドリンク「スペシャル・キッズ」がおすすめ。

toute l'équipe du livre

édition PAUMES

Photographe : Hisashi Tokuyoshi

Design : Kei Yamazaki, Megumi Mori

Illustrations : Kei Yamazaki

Textes : Coco Tashima

Coordination : Sandrine Place, Morgane Teheux, Fumie Shimoji

Conseil aux textes Français : Emi Oohara

Éditeur : Coco Tashima

Art direction : Hisashi Tokuyoshi

Contact : info@paumes.com   www.paumes.com

Impression : Makoto Printing System

Distribution : Shufunotomosha

Nous tenons à remercier tous les artistes qui ont collaboré à ce livre.

édition PAUMES　ジュウ・ドゥ・ポウム

ジュウ・ドゥ・ポウムは、フランスをはじめ海外のアーティストたちの日本での活動をプロデュースするエージェントとしてスタートしました。
魅力的なアーティストたちのことを、より広く知ってもらいたいという思いから、クリエーションシリーズ、ガイドシリーズといった数多くの書籍を手がけています。近著には「パリのおうちアトリエ」「パリのおいしいおみやげ屋さん」などがあります。ジュウ・ドゥ・ポウムの詳しい情報は、**www.paumes.com**をご覧ください。

また、アーティストの作品に直接触れてもらうスペースとして生まれた「ギャラリー・ドゥー・ディマンシュ」は、インテリア雑貨や絵本、アクセサリーなど、アーティストの作品をセレクトしたギャラリーショップ。ギャラリースペースで行われる展示会も、さまざまなアーティストとの出会いの場として好評です。ショップの情報は、**www.2dimanche.com**をご覧ください。

Belgium Family Style
ベルギーのファミリースタイル

2010 年 7 月 20 日 初版第 1 刷発行

著者：ジュウ・ドゥ・ポゥム

発行人：德吉 久、下地 文恵
発行所：有限会社ジュウ・ドゥ・ポゥム
　　　　〒 150-0001 東京都渋谷区神宮前 3-5-6
　　　　編集部 TEL / 03-5413-5541
　　　　www.paumes.com

発売元：株式会社 主婦の友社
　　　　〒 101-8911 東京都千代田区神田駿河台 2-9
　　　　販売部 TEL / 03-5280-7551

印刷製本：マコト印刷株式会社

Photos © Hisashi Tokuyoshi
© édition PAUMES 2010 Printed in Japan
ISBN978-4-07-273956-3

Ⓡ＜日本複写権センター委託出版物＞
本書(誌)を無断で複写複製(コピー)することは、著作権法上の例外を除き、禁じられています。本書(誌)をコピーされる場合は、事前に日本複写権センター(JRRC)の許諾を受けてください。
日本複写権センター(JRRC)
http://www.jrrc.or.jp　e メール：info@jrrc.or.jp　電話：03-3401-2382

＊乱丁本、落丁本はおとりかえします。お買い求めの書店か、
　主婦の友社 販売部 03-5280-7551 にご連絡下さい。
＊記事内容に関する場合はジュウ・ドゥ・ポゥム 05-5413-5541 まで。
＊主婦の友社発売の書籍・ムックのご注文はお近くの書店か、
　コールセンター 049-259-1236 まで。主婦の友社ホームページ
　http://www.shufunotomo.co.jp/ からもお申込できます。

ジュウ・ドゥ・ポゥムのクリエーションシリーズ

子どもたちと過ごす楽しい時間とインテリア
Paris Family Style
パリのファミリースタイル

著者：ジュウ・ドゥ・ポゥム
ISBNコード：978-4-07-271555-0
判型：A5・本文 128 ページ・オールカラー
本体価格：1,800 円（税別）

キュートなインテリアのアイデアがいっぱい
chambres d'enfants à Paris
ようこそパリの子ども部屋

著者：ジュウ・ドゥ・ポゥム
ISBNコード：978-4-07-248674-0
判型：A5・本文 128 ページ・オールカラー
本体価格：1,800 円（税別）

パリの家庭の味を紹介するレシピブック
recettes des mamans à Paris
パリのママンのおうちレシピ

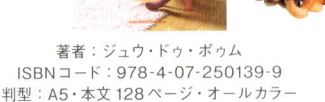

著者：ジュウ・ドゥ・ポゥム
ISBNコード：978-4-07-262444-9
判型：A5・本文 128 ページ・オールカラー
本体価格：1,800 円（税別）

子どもたちのファンタジーが詰まった夢の国
children's rooms "London"
ロンドンの子ども部屋

著者：ジュウ・ドゥ・ポゥム
ISBNコード：978-4-07-254551-5
判型：A5・本文 128 ページ・オールカラー
本体価格：1,800 円（税別）

パパとママの愛情がたっぷり込められた空間
children's rooms "Stockholm"
ストックホルムの子ども部屋

著者：ジュウ・ドゥ・ポゥム
ISBNコード：978-4-07-250139-9
判型：A5・本文 128 ページ・オールカラー
本体価格：1,800 円（税別）

おとぎ話の町に暮らす、22人の子どもたち
children's rooms "Copenhagen"
北欧コペンハーゲンの子ども部屋

著者：ジュウ・ドゥ・ポゥム
ISBNコード：978-4-07-263930-6
判型：A5・本文 128 ページ・オールカラー
本体価格：1,800 円（税別）

www.paumes.com

ご注文はお近くの書店、または主婦の友社コールセンター（049-259-1236）まで。
主婦の友社ホームページ（http://www.shufunotomo.co.jp/）からもお申込できます。